私たちは、出来るだけ費用を抑えるためにユースホ
ンなどを利用することにした。そのためにユースホ
った。また、鉄道を使って移動するためにユーレイ
、各国、各都市のユースホステルの載っている旅行
本を準備した。旅行の準備についてはユースホステ
れた彼女がとても頼りになった。
の旅行がどうなるか、行きたい所はいろいろあるも
の知識は何もなく、周遊順序や宿泊の予定はたてら
初日のユースホステルのみを決めて、本当に行って
のかわからない旅に出た。

ヨーロッパの旅
1973年

上村和子

梓書院

直接のきっかけはヨ
の後輩が教えてくれた
と三人で実際に旅行し
振り返ると、1964 年
末からの海外旅行ブー
く聞くようになってい
てまだ非常に高額であ
その頃、私は互いの
級生の姉上がご主人の
られたので、海外旅行の
てみたいと思っていた
カは二人で周るには難
とにした。ただ、彼女
いる様子だったので、
していた。
旅の目的なんてなか
みたかった。
出発から帰国までを
くれたツアーを使い、
最終地はウィーンと決
にした。この年の初め
だ、外貨、円の持ち出

持っていなかった
ステルやペンショ
ステルの会員にな
ルパスを購入した
書と、旅行の会話
ルのことなど旅慣
しかし、私たち
のの外国について
れず、ヨーロッパ
みないとどうなる

目　次

9/11 **◉ソ連客船:ハバロフスク号**/宿泊・船中
8:30 集合　往路ツアー始まり 11:00 出航（ハバロフスク号）

9/12 **◉ソ連客船:ハバロフスク号**/宿泊・船中
終日船中

9/13 **◉ナホトカ**/宿泊・車中:ヴォストーク号
16:40 ナホトカ着 /20:00 発シベリア鉄道でハバロフスクへ

9/14 **◉ハバロフスク・モスクワ**/宿泊・ホテル:スプートニク
11:30 ハバロフスク着 / 市内にて昼食
14:45 発アエロフロート機にて 19:20 モスクワ・ドモジェドヴォ空港着

9/15 **◉モスクワ**/宿泊・ホテル:スプートニク
市内観光

9/16 **◉モスクワ・ストックホルム**/宿泊・ユースホステル:チャップマン
11:00 アエロフロート機、シェレメーチェヴォ空港発、ストックホルム着、往路ツアー終わり

9/17 **◉ストックホルム**/宿泊・車中
市内観光 /22:35 発列車にてオスロへ

9/18 **◉オスロ**/宿泊・寝台車
8:40 オスロ着 / 列車でコペンハーゲンへ

9/19 **◉コペンハーゲン・ヘルシンガー**/宿泊・ユースホステル
9:00 前コペンハーゲン着 /13:19 発ヘルシンガーへ

9/20 **◉コペンハーゲン・オーデンセ**/宿泊・ユースホステル
列車にてコペンハーゲンへ 9 時着 /13:06 発オーデンセへ、約 1 時間で着

9/21 **◉オーデンセ・ハンブルク**/宿泊・ユースホステル
15:00 発ハンブルクへ 19:44 着

9/22 **◉ハンブルク・ゲッティンゲン**/宿泊・ペンフレンド宅
7:55 発急行列車にてゲッティンゲンへ

9/23 **◉ゲッティンゲン・ミュンヘン**/宿泊・ペンション
11:51 発列車にてミュンヘンへ

9/24 **◉シュツットガルト**/宿泊・ユースホステル
10:00 シュツットガルト着

9/25 **◉シュツットガルト・マインツ**/宿泊・ユースホステル
15:12 発列車でマインツへ

9/26 **◉マインツ・コブレンツ**/宿泊・ユースホステル
ライン川下り（マインツ、コブレンツ間）コブレンツ→マインツ→コブレンツ

9/27 **◉コブレンツ・ルクセンブルク**/宿泊・ユースホステル
ルクセンブルクへ（コブレンツより約 2.5 時間）

9/28 **◉ルクセンブルク・ブリュッセル**/宿泊・ユースホステル
12:14 発ブリュッセルへ

9/29 **◉ブリュッセル・アムステルダム**/宿泊・ユースホステル

市内観光 /13：02 発アムステルダムへ

9/30 **◉アムステルダム**/宿泊・ユースホステル

市内観光

10/01 **◉アムステルダム・パリ**/宿泊・ホテル

8：51 発 TEE でパリへ 14：00 頃着

10/02 **◉パリ**/宿泊・ホテル

市内観光

10/03 **◉パリ**/宿泊・ホテル

市内観光

10/04 **◉パリ**/宿泊・ホテル

列車でベルサイユ往復

10/05 **◉パリ・ロンドン**/宿泊・ユースホステル

9：30 北駅発ロンドンへホーバークラフトでドーバー海峡を渡り、16 時過ぎロンドン着

10/06 **◉ロンドン**/宿泊・ホテル・オリンピア

市内観光

10/07 **◉ロンドン**/宿泊・夜行バス

市内観光 /21：55 発コーチにてエジンバラへ

10/08 **◉エジンバラ**/宿泊・ホテル：OSBORNE

6：00 頃ニューカッスル着　8：00 乗換　14：00 エジンバラ着

10/09 **◉エジンバラ**/宿泊・ホテル：LAIRG?

市内観光

10/10 **◉エジンバラ**/宿泊・夜行バス

12：05 発コーチにてロンドンへ　22：00 乗換

10/11 **◉ロンドン・ドーバー**/宿泊・ ユースホステル

6 時、ビクトリア・コーチステーション着 /8：45 発ドーバーへ

10/12 **◉ドーバー・パリ**/宿泊・車中

12：30 ドーバー発ホーバークラフトでブーローニュ、
列車にて 16：50 パリ着 /22：50 オステルリッツ駅発スペインへ

10/13 **◉マドリッド**/宿泊・ペンション

10：00 イルン発、18：30 マドリッド　チャマルテイン駅着

10/14 **◉マドリッド**/宿泊・ペンション

市内観光

10/15 **◉マドリッド**/宿泊ペンション

12：00 発トレドへ / 帰路アランフェスまでタクシー、21：53 アランフェス発列車でマドリッドへ

10/16 **◉マドリッド**/宿泊・車中

市内観光 /22：15 発グラナダへ

10/17 ◉**グラナダ**/宿泊・ホテル・ブラジリア
8：00 グラナダ着

10/18 ◉**グラナダ**/宿泊・RIFホステル
市内観光　18：00 映画

10/19 ◉**グラナダ**/宿泊・車中
市内観光 /22：20 発マドリッドへ

10/20 ◉**アランフェス・マドリッド**/宿泊・ペンション
アランフェスで途中下車 /13：30 発列車でマドリッドへ

10/21 ◉**マドリッド**/宿泊・ペンション
市内観光

10/22 ◉**マドリッド**/宿泊・車中
市内観光 /20：45 発バルセロナへ

10/23 ◉**バルセロナ**/宿泊・車中
8：00 バルセロナ着 /18：00 発ジュネーブへ
21：50 セルベールで出入国コントロール、乗り換え

10/24 ◉**ジュネーブ**/宿泊・車中
7：30 ジュネーブ着 /18：15 発ローマへ

10/25 ◉**ローマ**/宿泊・ペンション
8：00 ローマ着 / 市内観光

10/26 ◉**ローマ**/宿泊・ホテルRANIERI
バチカン市国観光

10/27 ◉**ナポリ・ローマ**/宿泊・ホテルRANIERI
9：35 発ナポリへ約 2 時間でポンペイ着 /16：15 発ローマへ

10/28 ◉**ローマ・ピサ・フィレンツェ**/宿泊・車中
10：20 テルミニ駅発ピサへ、14：05 着 /18：50 発フィレンツェへ 19：30 着

10/29 ◉**ジュネーブ・グリンデルワルド**/宿泊・ユースホステル
1：24 フィレンツェ発ジュネーブへ 12：12 着 /13：40 ジュネーブ発インターラーケン着
18：14 グリンデルワルド着

10/30 ◉**グリンデルワルド・ツェルマット**/宿泊・ホテル山男の紹介
9：50 発登山鉄道でユングフラウヨッホへ 11：20 着 /12：50 発
クライネシャイデックから逆まわりでツェルマットへ 19：00 着

10/31 ◉**ツェルマット**/宿泊・ペンション：Chalet Thomy
10：30 発電車でゴルナーグラードへ

11/01 ◉**ツェルマット・ベルン**/宿泊・ユースホステル
10：45 ブリーク発急行で、12：37 乗換、14：17 ベルン着

11/02 ◉**ジュネーブ・チューリヒ**/宿泊・ユースホステル
9：44 発ジュネーブへ、約 2 時間後着 /13：40 発チューリヒへ、17：00 頃着

11/03 **◉リヒテンシュタイン・チューリヒ**/宿泊・寝台車

10：14 発リヒテンシュタインへザルガンス乗換え、ブッフス 11：36 着
郵便バスにて約 20 分 Vaduz 着 /16：30 チューリヒ着、21：13 発ハノーファーへ

11/04 **◉ゲッティンゲン**/宿泊・ペンフレンド宅

6：00 ハノーファー着　7：03 発ゲッティンゲンへ
8：16 通過していろいろあって、12：30 着

11/05 **◉ゲッティンゲン・チューリヒ**/宿泊・列車

11：18 ゲッティンゲン発バーゼル乗換、17：28 チューリヒ着 /21：20 発ウィーンへ

11/06 **◉ウィーン**/宿泊・ホテルHERALD

8：40 ウイーン着

11/07 **◉ウィーン**/宿泊・ホテルZöch

市内観光

11/08 **◉ウィーン**/宿泊・ホテルZöch

18：00 西駅で大阪組と待合せ

11/09 **◉ウィーン**/宿泊・ホテルZöch

ソ連領事館　夜フォルクスオペラ

11/10 **◉ウィーン・モスクワ**/宿泊・ウクライナホテル

10：30 ウィーン空港集合復路ツアー始まり /12：30 発アエロフロート貸切機（オーストリア航空機）にてモスクワへ　17：20 シェレメーチェヴォ空港着　21：00 ホテルへ

11/11 **◉モスクワ**/宿泊・機中

20：45 ドモジェドヴォ空港発（アエロフロート機）

11/12 **◉ハバロフスク**/宿泊・車中

11：05 ハバロフスク着 /18：20 発シベリア鉄道にてナホトカへ

11/13 **◉ナホトカ**/宿泊・船中

9：15 ナホトカ着 /12：00 ナホトカ港出航横浜へ

11/14 **◉船中**/宿泊・船中

終日船中

11/15 **◉横浜**

16：00 横浜港着　復路ツアー終わり

出国——横浜からストックホルムへ

１９７３／９／１１～９／１５

ヨーロッパへの往復はJTB（日本交通公社）のツアー＊を利用した。日本出国は１９７３年９月１１日、ソ連＊の客船「ハバロフスク号」にて１１：００に横浜港を出港。二人の同級生で東京在住の康子さんが港で見送ってくれた。船中２泊して９月１３日夕方ナホトカ着。ナホトカからハバロウスクまではシベリア鉄道。ハバロウスクからは空路、アエロフロート機で９月１４日モスクワ着。同夜、モスクワのホテル・スプートニクに入る。モスクワで２泊する。

＊ツアー：往路【日本交通公社（JTB）LOOK　ソ連セットストックホルムコース（9月11日出発）】復路【同ソ連セット　ウィーンを11月10日出発】

＊ソ連：ソビエト社会主義共和国連邦（Union of Soviet Socialist Republics）の略称。ソ連は1922年に成立し、1991年に崩壊した。

モスクワ／USSR*

英語は通じ難いが人懐っこい。チーズ、サラミ、黒パン（酸味）*、バター、ジャム、ピロシキ（パイ皮）、キャビア？　ボルシチ、アイスクリーム、コンポート、ケーキ。肉類、コーヒー、紅茶はまずい。野菜、果物は少ない。アップル水（ジュース？）、ミネラルウオーターなど。建築物は古く荘重。緑、茶、赤などが多く、色彩豊かとはいえず、スマートさもなし。人が少なく、車も少ない。バス、トロリーバス、地下鉄、電車。市内住宅はすべて高層アパート。郊外はバンガロー風、ペンキ塗り。広告は地味、ネオンもまばら。生野菜もガラスのショーウイ

＊ USSR：Union of Soviet Socialist Republics の略

＊黒パン：往復のツアーの間は、ソビエトの食事で、毎食3種類のパンがでた。小型の四角形の、黒色、白色、その中間食のパンが薄くスライスされて、大皿に盛られてテーブルに置かれた。日記中ではしばしばパンの色について、黒、白、中間（あるいはmiddle）と記している。黒、中間色のパンは、ソビエトではライ麦パンであった。

＊サーカス：ボリショイ・モスクワ国立サーカスだったと思う。モスクワ滞在中、バスで市内をめぐり、免税店での買い物の時間があり、二日目の夜にはサーカスを観た。

ンドウに飾っている。サーカス＊。公務員のサーカス。スケールの大きさ、劇場の素晴らしさ、八角形の建物、円舞台、満員の観客、オーケストラボックス、華やかな照明、大掛かりな装置、回り舞台、洗練された演技。

ヨーロッパ周遊

９／１６

モスクワ、シェレメーチョヴォ空港１１：００発のアエロフロート機で、スウェーデン、ストックホルムへ。

ストックホルム／スウェーデン

＊国王の逝去と新国王の即位の日：前日の9月15日にグスタフ6世アドルフ（在位1950～1973）が逝去。現国王カール16世グスタフ（1946～、在位1973～）が即位していた。半旗の道を王宮に行き、弔問の記帳をした。

＊ユースホステル：af Chapman（チャップマン）ストックホルムにある帆船のユースホステル。

＊クローネ：スウェーデン・クローナ。スウェーデン通貨。北欧諸国の通貨はクローネ。訪れた他の二国はそれぞれ、デンマーク・クローネ、ノルウェー・クローネである。日記中では区別しないで全てクローネと記している。補助単位は3国とも、1クローネ＝100オーレ。

郊外のレンガ造りの家、緑多し。湖や運河もあり、空港よりずっと半旗が多数掲げられ、市中心部に大勢の人。きくと、国王の逝去と新国王の即位の日＊とのこと。礼砲がとどろく中、黒っぽい人々の群れ。トランクを押し歩く小さな異邦人は、どう見られていたのだろう。物価の高いことには驚かされる。トイレ料金、やっとの思いで取ったユースホステル＊もヨーロッパでは最も高い部類に入るとのこと（１３クローネ＊）。同室のイギリス人の女の子数人がぶつぶつ言い合っていた。デンティスト志望の２１歳の女の子はボーイフレンドを英国においてフレンドボーイと旅行中という。夕方市内散歩、駅にて明日の寝台予約試みるも空寝台なく、宿泊費１泊分得した気持ち。西洋ナシ、小型リンゴ、オレンジ、とても美味しいが少々高価。ミルクはヨーグルト風*でとても飲めない。河畔のホットドック（約１２０円)。ドイツより手紙*あり、ユース*の受付のガラスの中に見つけた時には感激！

９／１７

デパート食料品売場でハムを買いたいと思うも、やり方がわからなくてパック入りにてすます。オレンジ数個、コンサートホール*前の市、ぶどう、レモン、オレンジ、小さなリンゴ、ペア、もっと小さな小豆みたいなRingo？　など。

モスクワにしてもここにしてもデパートや商店に必ず種子や球根がおいてある。どこに行っても花があるのはそのためか。午後のスカンセン*、小さな島全体が公園のよう。シーズンオフのため中の物は何も動かないし、開かないが、そのためゆっくり散歩できた。バスは女の運転士が多い。本屋も見学。ポルノ*はすごそうなものも、字が読めないので？残念ながらわからない。２２：３５発でオスロへ。

９／１８
オスロ／ノルウェー

約２０分遅れてオスロ着(８：４０)。皆、少々

＊ヨーグルト風：ヨーグルト風ではなくヨーグルトだった。日本人旅行者は皆ミルクと間違って買っていた。私たちはまだヨーグルトに慣れていなかった。しかも無糖であったので全く飲めなかった。

＊ドイツより手紙：出国間際に西ドイツ（ドイツ連邦共和国の通称）の、かつてのペンフレンドに手紙を出していた。それに対する返事。1990年に統一されるまでドイツは東西に分断された状況にあった。当時、日本でドイツという場合、ほとんどは国交があり友好国であった西ドイツを指した。

＊ユース：ユースホステルの略。

＊コンサートホール：この年、ノーベル物理学賞を江崎玲於奈さんが受賞。

＊スカンセン：Skansen野外博物館。周りに海が見えたので島と思っていた。

＊ポルノ：ポルノグラフィー。1960年代後半から70年代は世界的に性の解放が進み、北欧を中心にポルノ解禁する国が急増した時期。北欧、特にスウェーデンを旅行するときにはポルノの本や映画を見ることが流行っていた。

疲労気味。二人で市内観光。王宮、市庁舎にて少々仮眠。その後、Akershus（アケルフース）城へ。久留米大学教授氏とあう。マロニエの青い実、色彩の強烈な花々（ダリア）、AKS 城壁、衛兵の愛嬌。本当に外国に来た感じ。全体的にスウェーデンよりくすんだ感じがするが、モスクワの野暮ったさもない。郊外の家々は白く少なく、スマートで絵になるもの。ドーナツとセブンアップで、５．５０クローネ(約３００円)。スウェーデンに負けず物価高。早々に引上げようと夜の寝台に乗る（２８．５クローネ）。その前に、関西の二人*のホテルで久々に入浴。その前、六人で夕食をしようと本*にある "Blan" を探しあてるも、気おくれして入れず。クローネの手持ちも少ないし、最初からそういう贅沢はつつしもうと、カフェストアに入る。１１クローネで、大きなハンバーグ風のかたまり3個、じゃがいも大４～５個、キャベツの香辛料煮込み。ソースに独特の香りあり、ほとんど食べられず。ポルノも、かなりきわどいものあり。

＊関西の二人：大阪から同じツアーに参加していた二人連れ。私たちより少し年少で、二人には歳の差があった。寝屋川市の女性が年上で、年下の枚方の女性は元気の良い妹といった感じで、二人と二人、その時々で、離れたり、一緒にまわったり、よい道連れになった。

＊本：ヨーロッパ旅行についての若者向けの一般的なガイドブック。手元に残っていないので、書名、出版社など不明。

９／１９
ヘルシンガー／デンマーク

コペンハーゲン９時前に着。コペンを１３：１９発、逆戻りでヘルシンガーへ。やっとの思いで乗り、もう少しで降り遅れるところだった。ドアを押しても引いても開かないと思ったら、外から車掌さんが閉めるようになっている。車掌さんにしてもその他、年取った人が意外と品がよい。それはサラリーが高いからと、彼女が言う。ヘルシンガーのユース、１０床の部屋に、アメリカの姉妹と四人。静かで、環境もいいし設備もいい。食事が夕食１０クローネ（約５００円)、マッシュポテトにハヤシライス。一見、紅ショウガ風のつけもの？　もう１皿、ジュースにコーンフレークを浮かべたもの、おいしくない。それも量は山ほど。どうしてこんな流動食、無残渣食みたいなのばかり食べられるのか、本当に不思議。

クロンボルク城*へ。外周りだけ。昨日のノルウェーの城壁の方がステキ。くだもの、マスカットのようなブドウ2kg 3クローネ（約１５９円)、オレンジ2個2クローネ、市庁舎前でおいしかった。クロンボルク城前の売店、１クローネのフリスコ（アイス)、まわりにチョコがつき、少々、小さいがとてもおいしい。

＊クロンボルク城：Kronborg Castle が築かれたのは 15 世紀と言われている。ハムレットの城ときいてわざわざ行ったのに、シーズンオフなのか、曜日のためか内部には入ることができなかった。しかし、夕方の暗い海と、その海辺の古い城の雰囲気は本当にエルシノア城を連想させるものであった。誰もいない海岸に、当時わが国ではまだ珍しかったキャンピングカーがいっぱい（乗り捨てられたように）置かれていた。

９／２０
コペンハーゲン

朝、普通にてコペンハーゲンへ9：００着。人魚像を見て食料を１５クローネほど買込んでオーデンセへ。人魚像、日本の団体*がたくさん。

＊日本の団体：1964 年に海外旅行が自由化されて、70 年代初めには海外旅行ブームもあって年間の海外旅行者数が 100 万人を超えていた。旅行の形態としては団体旅行が多く、特に農協の団体が有名であった。

１３：００コペン発オーデンセへ。途中の海は、車両ごと船へ。約１時間でオーデンセ。ユースはどこもガラあき。宿帳を書かされた。バス二人で２クローネ５０オーレ。皆とても親切で、のんびり。リンゴがたくさん、普通日本で見かけるリンゴ。地面に落ちているのを３個ほど拾った。少々酸味あるもカリカリとおいしい。

９／２１

オーデンセ

アンデルセンハウス見学。他には見るものなし。天気悪く、１３：３１発でハンブルクに向かう予定が、時刻表の見誤りで１５時ジャスト発。ユーレイルパス＊を見失って、少々慌てる。皆、とても親切。コンパートメントの列車ばかり。昨日から、やっと旅先にいる気になる。パン６０オーレ、ジュース１クローネで昼すます。車中でパスポートで入国手続き＊、いよいよドイツ。ビュッフェに入り、テーブルに着こうとして二人、追っ払われた。Why ？

ハンブルク／西ドイツ

１９：４４ハンブルク着。ネオンが明るく、といっても日本ほど派手な色彩はない。大都会という感じ。TEL 試みるも昔の番号で通じず。ヒッピー風の人＊が親切に教えてくれた。とても無気力な、旅行者に見えた。日本人の男の人

＊ユーレイルパス：EURAILPASS ヨーロッパ以外の居住者に対し発行される鉄道パス。TEE など予約の必要なものがあるが、ヨーロッパ内 13 か国の鉄道に自由に乗降できた。また、私鉄や船舶などにも、一部割引料金が必要な場合もあったが、有効であった。私たちは 2 カ月間有効（68,200 円）のユーレイルパスを購入していった。

＊入国手続き：ヨーロッパ大陸では列車で各国の国境を通過した。その際、出入国管理や税関の担当者が車内に乗ってきて検査を行うことがあった。車掌さんがパスポートを確認するだけのことも多く、どちらも日本とソ連の出入国を経験した後では驚くほど簡単なものであった。

＊ヒッピー風の人：ヒッピーとは既存の制度・慣習・価値観を拒否して脱社会的行動をとる人々、また、その運動（広辞苑）とある。1960 年代後半アメリカの若者の間に生まれ、世界中のいわゆる先進国に浸透していくが、米国でヒッピー増加の契機になったと言われ

ばかり多数あう。市電でユースへ（U3)。又、LOOKの２～３人の男の子とあう。お互い苦笑。夜景が美しい。市電、本来乗車賃がいるはずだけど、フリーパス。誰もみてないし、ちゃんと払っているような人もいない。昨日着いたという日本人がそれをおしえてくれた。夜の市電乗場は、種々雑多な人種の集まりで、少々恐い気がした。

るベトナム戦争（1964～1975）の終結した70年代の中ごろにはヒッピー運動も終息する。彼らは独特の生活様式やファッションを持っていた。日本の私たちの周囲にも、ヒッピー風ファッションの若者がいたが、実際に思想的な背景を持ってヒッピーになった人はいなかったのではないか。この男性の持っていた何とも言えない雰囲気を思い出す。本物のヒッピーだったかも。

９／２２

市電でHauptbanhof* へ。無賃乗車 *。パン４０ペニヒ *、ジュース５０ペニヒ、オーデンセのリンゴ、ミカンで朝食、車中にて。ドイツ語は懐かしい *。全くわからないけれど。北欧、デンマークに比べると街並みは少しも美しくない。人々もごつい顔をして、ごつい言葉をしゃべっている。朝からビールを皆飲んでいる。早く着きたいと７：５５のエクスプレスに乗る。ゲッティンゲンの標識が見えて、降りる準備をして通路まで出たのに、素通り。速度を緩めただけ。カッセルという１時間近くも南まで行ってしまった。幸い、１時間足らずで逆の鈍行に乗れた。さすがにひとりの日本人もいない。

ゲッティンゲン

初めて電話、切られたと思ったら故障との表示あり。１マルクで使ったらクリスティーネが

＊Hauptbanhof：ドイツ語で「鉄道の中央駅」を意味する語。

＊無賃乗車：この時、無賃乗車をした。恥ずかしい。本当にごめんなさい。

＊ペニヒ：pfennig
西ドイツの通貨はマルク。ペニヒはマルクの補助単位　1マルク=100ペニヒ。ドイツは1999年にユーロへ移行。

＊ドイツ語は懐かしい：専門学校の第二外国語がドイツ語であった。ドイツ語はこの時にはすっかり忘れてしまっていた。当時はまだドイツ語を第二外国語とする大学、学生は多かったと思う。

＊彼の車：フォルクスワーゲン。助手席に座った私に、「規則でこれをしないといけない」と言って、シートベルトをつけてくれた。

出た。迎えの彼の車*で家へ。1戸建てと思って入った家は、中に入口が二つあり、下の1階が彼の住居であった。4間にバス、トイレ、暖房、ガレージ付きで家賃は余り高くないそう。外国映画で見る現代の部屋。日本のようにきれいに整理された美しさはない。沢山の本、写真、アクセサリー、それにキャンドル、スタンド、薄暗いライト、カラフルなキッチン。本当に英語を勉強しなくては。夕方、近くの湖の周りを散歩。ボート、カヌーの競争。あひる、スワンの群れ。周囲約3km、緑の美しさ。散歩する中年夫婦。子供連れの父親。母親がディナーの準備中だからと彼が言う。少々寒い。前夜はここも、"嵐のような天気"だったという。水面静か。8時過ぎてやっと夕食。これは冷食*。お茶、パンにソーセージ、サラミ。パンは中間色*で酸味なし。夕方、アップルケーキ*とオレンジ風味の紅茶をごちそうになっていたものの、お腹の虫がグー。彼が聞きつけて、少々恥ずかしかった。しかし幸福なミステイク*で本当によかった。彼はドクター、糖尿病の勉強中だという。彼女はまだガールフレンド*というものの、とても似合いのカップルだ。それに生活感覚の違い。アルバムを見せてくれた。ビキニの代わりと、ビーチで、腕で胸を隠している彼女の写真を、彼は平気で説明する。彼女は教

*冷食：ドイツ（ヨーロッパ?）では、通常、お茶を除いて、火を使って料理をするのは1日に1回、ディナーの時なので、3回のうち2回は冷たい食事だという。「日本では1日3回料理して、いつも暖かいものを食べるというのは本当か」と、きかれた。どうして知ったのか、彼は感心しているようだった。

*中間色：ライ麦パンがドイツを代表するパンと後に知った。ライ麦は寒冷地で収穫される。ドイツ、ソビエト以外では北欧やスイスでライ麦パンが出た。ライ麦100%を原料にしたパンと、小麦を混ぜ合わせたパンがあり、ライ麦の割合が高くなるほど色が濃く、しっとりと重たく独特の酸味をもつパンになる。

*アップルケーキ：Apple Cakeを彼女が焼いてくれた。とてもおいしかった。

*幸福なミステイク：ストックホルムで受け取った手紙にはゲッテインゲン大学で糖尿病の勉強をしていると書かれていたが、もしかしたら糖尿病の（教育）入院ではないかとも思った。それほど英語に自信がなかった。彼は兵役の時にゲッティンゲン大学で勉強して内科医になっていた。

*ガールフレンド：ガールフレンドと一緒に暮らしているという文章に、とても驚いた。当時の日本では結婚前の男女が一緒に生活すること（同棲）などとても考えられないことであった。

師の資格をとるために勉強中。火曜日が試験の日だという。Good Luck!

９／２３

二人ともとてもよいホスト、ホステスだった。日本人ではとてもああはいかない。言葉のわからない私たちに、Don’ t say good by. Bye-bye, see you again???

１１：５１発列車にてミュンヘンへ。

ミュンヘン＊

途中で一等に。愛想の良すぎる人は本当のことを教えてくれない。前に座ったWürzburgの人＊はとっても話好きで、どう思ったか、ペンションまで予約してくれて、おまけに荷物ごと友人の車で運んでくれた。トラベラーズチェック＊がきかず両替場所へ。ついでにfest* を見学。同じテーブルになった三人のオーストリアからの人とハデにおしゃべりして、その後がいけなかった。ちょっと、駅をたずねた二人連れのトルコ人に、しつこく付きまとわれ、あの日本人たちがいなければどうなったことか。おかげで夜は休めなかったし、市内観光の気分も失せてしまった。

９／２４

ミュンヘンユースへ。噂通りすごくビッグ、ホ

ただ、これは外国のことであり、ガールフレンドと一緒にいるということで、かえって私たちにとっては彼を訪問しやすくなった。

＊ミュンヘン：前年（1972年）開催されたミュンヘンオリンピックの会期中にはパレスチナゲリラによるテロ事件が起こっていた。彼女はミュンヘンオリンピックでボランティアをしていて日本人女性と知り合ったと言う。彼が“another Kazuko”と言ったので、その方も和子さんだったのかも。

＊ Würzburgの人：ヴュルツブルクの人。この方は特別であるが、この時の旅行では大人（壮年）の男性が、とても親切にしてくれた。国から国へはキャスター付とはいえトランクを押しての移動であった。駅での乗降や移動もエレベーターやエスカレーターのほとんどない時代には大変だった。その時によく助けてもらった。レディーファーストの国だと感心していた。

＊トラベラーズチェック：traveler's check 海外旅行者用の小切手、TC。その後、クレジットカードやキャッシュカードが使用できるようになったこともあり、日本国内では2014年3月末で販売が終了している。私たちは、ヨーロッパに行くので、当時の北九州市においてドルに次いで両替の容易

ステラーがずらりと順番待ち。日本男子の行儀の悪さ。はずかしい。もっとも本当に日本人かどうかは話してみなければわからない。昨日彼女はインドネシアンに間違われた。早々に退散、シュツットガルトへ。

シュツットガルト

ユース、ここも多い。日本人もかなりいる。日本語を上手にしゃべる受付、びっくりしてたら、３０ペニヒの絵ハガキ１６枚の計算がなかなか出来ないのには驚いた。日本人のアルバイト*（？）がいる。夜、絵葉書*１２枚づつ。一応おわり、切手代で１泊分飛ぶ。夕食はソーセージにマッシュポテト（インスタント？）、日本のすいとん風マカロニスープ。

９／２５

市村女史のフレンド*を探す？つもりだったが、市内全て工事中。ユースもきれいでないし、帰りにもう一度、出来たら寄ってみることにする。彼女にもう一度連絡を取ってもらうつもり。大した観光地もなさそうだし、デパートめぐり。木造の子供の玩具、とても良く出来たのが３マルクくらいからある。色のついてないのが良いけど高いので、少々色付きを誰のためともなく買う。昼、ウインナーの屋台（？）で立食、パンとともに１４０円くらい。パンはお

であったドイツマルクのTCを準備した。TCはそのまま使える場合もあったが、ここは小さなペンションだったのでそのままでは使えなかった。

＊fest：Oktoberfest（オクトーバーフェスト）9月下旬から10月初旬までの約2週間にわたり、ミュンヘンで行われる世界最大のビールの祭典。広場に大きなテントがいくつも立てられ、そのひとつひとつが体育館を思わせるような大きなビヤホールで、多くの人々が蓋つきの大ジョッキでビールを飲みながら、バンド演奏に合わせて靴を踏み鳴らして歌をうたっていた。彼女はアルコールが全くダメ、見学しようと言って無理やり連れて行った。

＊日本人のアルバイト：当時「北欧で皿洗いをして、南欧で旅を楽しむ」といわれていた。西ドイツも人件費が高かったと思われる。

＊絵葉書：旅行中に私は約70枚の絵葉書を日本に送っていた。

＊市村女史のフレンド：私たちが小中学生の頃、文通が流行っていた。中学のクラスメートの彼女にも西ドイツにペンフレンドがいた。

いしくない。

マインツ

１５：１２の列車でマインツへ。バスが逆方向へ、でも親切。ただ乗りは自由に出来るかわり、１回が１マルク、２～３の停留所でだから高い。2回使ってもわからない。夜、チャイナ・レストランへ。日本人と見分けられないウェイター。何とかメニューを読んで、“フライドライス　ウィズ　チキン”と“フライド　ヌードル”を食べる。6.５マルクと7.５マルク。やきそばの方はかたいつもりがやわらかい麺で、麺は少し、それにカレーの味がしておいしくなかった。やきめしの方はまあまあ。久しぶりにお腹がいっぱいになる思いをした。ひどいユース、バスも、シャワーもない。

９／２６

朝、早起き。パン、バター、ジャム、ソーセージ１切れ、コーヒーミルクの朝食。パンは1/2個しか入らない。７：４５ユースを出る。ライン川下り、マインツよりコブレンツまで、（8：45～１３：５５）約5時間。途中たくさんの城がありカメラに収めた。ローレライの岩、こちらの街の方が美しいみたい。コブレンツより列車で逆もどり、約１時間。昼食、スプライト（実はオレンジレモネード）１.３０マルク、オレンジビスケット（1.10マルク）、とてもおいしい。又、逆戻り。コインロッカーの超過分50ペニヒ×2入れるも開かず、（彼女の方は昨日のまま）係の人を呼ぶ。言葉がわからないともどかしい。彼はわかったはずなのに、又、1マルク取りあげられてしまった。こんなとこいたくない。

コブレンツ

コブレンツのユースは城。ノルウェーのAKS城より大きい。ユースがなかなかわからなくて、野宿したら出来そうな場所がたくさん。日本人3人がアルバイト。夕食は男の子にご馳走になる。

9／27

ユース、ドイツはどこも多い。おまけにうるさい。シャワーが50ペニヒ、入れても水ばかり。髪まで洗ったけどスッキリしない(昨夜)。午前中市内見学。ユースの城がとてもすばらしい。マインツより古都の感じ。静かでとても美しい。ライン川、モーゼル川の分岐点。朝食、パン、バター、チーズ、カラメルソース、チョコレート*（ココア？）、とても飲めないほどたくさん。

*チョコレート：チョコレートの飲物というのが理解できなくてココアではないかと思った。ドイツやスイスのユースの朝食に出た。少し寒い朝に甘いチョコレートは美味しくて、暖まった。

ルクセンブルク／ルクセンブルク

ルクセンブルクまで約2.5時間。ユースは新しく、シャワーの設備もトイレットペーパーも良い*、上等。初めて日本的な改札口あり、ユーレイルパスを示す。待合室らしきものはなく、もちろん椅子もない。

＊トイレットペーパーも良い：トイレットペーパーと砂糖は、この時訪れたどの国よりも日本の物の方が品質が良い、はるかに上等だと思った。

9／28

午前中、要塞跡、アドルフ橋、ノートルダム大聖堂などを歩いてまわる。大聖堂のステンドグラスがすばらしい。何となく厳かな気分になる。雨が降り出してバスに乗れないまま駅に着く。朝食はどこも同じ。パン、バター、チーズ、ジャム、ミルクコーヒー。チーズが白くやわらかくおいしい。ジャムは今までのどこもおいしい。１２：１４発ブリュッセルへ。ドイツより持ち込んだぶどう（マスカットを少し長くしたような粒、1kg／約１００円）を食べる。ルクセンブルクはおもしろい町。狭い国土をフルに利用している感じで、“はし（橋）”がとても、驚くほど高く、その下に、また、町？がある。どちらが海の高さに近いのか知らないが、二重に土地を使っている。田舎と町がミックスされ、列車で少し行くと隣の国へ出てしまう。言葉は英語とドイツ語を多く聞いた。

ブラッセル＊／ベルギー

いねむりしていて気がつくと、ブリュッセル。あわてて降りるとハウプトバンホフではな

＊ブラッセル：ベルギーの首都。ブリュッセル。ブラッセルは英語読み。日記中、地名その他で英語と各国語、また日本式発音との区別が出来ていないことが多くあるがそのままにしている。

い。親切なおじさんにおしえられて初めてタクシーに。これまたトルコ人、先日のことが頭をかすめたけれど、９０フラン*（約６３０円）、チップ１０フラン。町中のユース、歩けるときいたけどとても遠く、日本人にまたお世話になった。夕食なしで空腹で、シャックリが朝から続く。外に出てケーキとミルク（2人で５２フラン）、おいしかった。近くの広場をひとまわりして、又、食事。言葉のわからない男の子が一生懸命、ポテトフライを揚げて、肉団子？（５０フラン）、ファンタオレンジを、おいしいか、と何度もきくので、おいしいと答えたものの多過ぎる！　どうしてどこでも山盛りくれるの？　今までの所ほど英語がきかれない。どちらかというとドイツ語、それも少々変なことば*。グラン・プラスのクレジットバンクにつれて行かれ、両替にルクセンブルクの札*を出すと、ほとんど突き返され２０フラン１枚だけ交換してくれた。よく見るとベルギーと印刷されている。そういえばルクセンブルクのユースで彼女はベルギー札を貰い、それでタバコを買っても何も言われなかった。少し風邪をひいた。バファリンのお世話になる。

*フラン：ベルギーフラン。ベルギーの通貨。フランを通貨とする国は、フランスやスイスなど他にもあったが、区別せずに全てフランと記している。1フラン=100サンチーム。ベルギーは1999年にユーロに移行。

*少々変な言葉：当時、ベルギーの公用語はオランダ語とフランス語。一部地域でドイツ語も使用されていた。ブリュッセルはオランダ語地域にあるが両言語の併用地域で、フランス語を話す人の方が多い。

*ルクセンブルクの札：ルクセンブルクはベルギーと通貨が共通であった。１ルクセンブルクフラン＝1ベルギーフランである。

９／２９

　市内観光。地図が読めなくて何が何という名かわからない。小便小僧、ミリタリールックで可愛らしい。きれいなレース、ゴブラン織り（？）が美しい。人形もかわいい。でも可愛いほど高価。朝、かなり雨がひどかった。でもすぐ上がる。朝食は今までとほとんど同じ。パンがやわらかく、コーヒーは余りうまくない。昼はスパゲッティミートソース（３６フラン＝約２５０円)とファンタオレンジ(１０フラン)。昨日のポテトフライほどボリュームはないが味が塩辛い。それと暖かいおかし。四角い形のたい焼き、あんがハニー。何という名＊だったか、皆、食べながら歩いていた。今日は久しぶりにお腹いっぱい。風邪がよくならず鼻スースー。

＊何という名：ワッフル

アムステルダム／オランダ

１３：０２発でアムステルダムへ。途中国境を越えて両替＊。銀行員二人が、“こんにちは”とか“ありがとう”とか、愛想をふりまく。窓外のけしき、山が全く無い、緑の畑。ゴッホの絵のように木々が傾き、まるで海岸の松を見るよう。

＊両替：EU 統合と通貨統一のされるずっと以前であったので、国境を越すごとに両替をしなくてはならなかった。この時は銀行員が列車の中に乗り込んできた。

９／３０

昨日の夕食、横浜出航以来、はじめての生野菜。レタス、輪切りにんじん、ピーマン、キュウリ、どれも大ぶり。ゆで卵、ハムそれとマッシュポテトと枝豆？の煮込み。まあまあ、おいしかった。野菜はドレッシングも塩もなく食べた。午前中、市内見学。アンネの家も。コンセルトヘボウ、ボリショイ劇場と余りちがわない感じ。コンサートはよくあっているようだ。国立美術館、ちょうどお昼前に入ったので落ちついて見れなかった。レンブラント、ヴァン・ダイク、ルーベンスなど。ゴッホもたくさんあるというが余り多すぎて見きれなかった。運河の水が、橋や道路スレスレまで迫っている。予想通り、昨夜から雨。かまわず歩いた。建物は昔風のものが多いが、道路などは北欧のようには美しくない。スナックバーという所で、ベルギーで食べたと同じフライドポテトをマヨネーズで食べた(約７５円)。こちらの方が少なかったのでおいしかった。切手がほとんど自動販売機で、どれをどうすべきかわからず昨夜書いた分、出さずじまい。

１０／１

こちらの女の人、旅行者以外、皆、ツンツンしている。昨日のユースの女性も、夕食券を遅くききにきた男の子を鼻先で断ったし、今朝のインフォメーションの女も、スゴかった。“I asked you the time twice!” とこれも２回。でも何と言われても１６：０１では夜中にパリに着いてしまう。eight と eighteen、聞き違えた方が悪いに決まっている。夕食、近くのスナックで。ダイズ豆のポタージュ、うす緑、ハム、豚肉、じゃがいも、香辛料入り。ミソ汁椀のような器に。パン１切れ。一見オムレツ風、中味はもやし、それを油で揚げ外側がパリパリする硬さ、お好み焼きを食べているような感じだった。ソースが少し甘味がつよい。ソーセージ、油であげたもの。塩辛くてフランクフルトの方がおいしい。計５．２５ギルグ*(約５２５円)。お腹いっぱい。二人で１０．５０。１０．１*ギルダー払ってちゃんとおつり５０セントもらってしまった。でも結局小銭が残って、チップであげた方が無駄にならなかったのに。

パリ／フランス

８：５７発 TEE* でパリへ。途中日本の男の子と一緒。こういう人がたくさんいるから迷惑。本当にどういうつもりで旅行しているのか。二人で３４フランの安宿。もちろん☆*に泊まる。見つけるのが大変で、途中、探しに出た私の方が迷ってしまって、またまた、日本少年のお世話になる。だから余り悪くはいえないけど。北駅近くの裏町？　余りステキなパリジェンヌは見かけない。夜、散歩。駅の裏側に HOPITAL LARIBOISIERTE(Administration general de assistance -----) の建物。多分 Hospital ？*それも大学医学部付属などの。何となく興味があり

＊ギルグ：gulden ギュルデン、ギルダー（旧称フローリン）はオランダ通貨。1999 年ユーロに移行。

＊ 10.1 ギルダー：11.0 ギルダーの間違い。

＊ TEE：
Trans Europ Express の略。TEE とはヨーロッパ約 100 都市を結んでいた国際特急列車。毎日 34 本運行されていた。一等のみで昼間のみ運行、座席指定制。34 列車全てに名前がつけられていた。この時乗車したのはアムステルダム発、ロッテルダム、ブリュッセルを経由、5 時間 5 分でパリに到着予定の「エトワール・ド・ノール」号。TEE は 1957 年から運行されていたが、一等国際列車としての TEE は 1988 年に全廃される。

＊☆：ホテルの格付け（Star Rate）で、最低の星ひとつ。どこの格付けか知らない。他に、一等とか 1 級と記していることがあり、格付けにも種類があったようだ。

＊ Hospital ？：ラリボワジエール病院。パリの 10

区、北駅近くにある公立病院。1862年に文久遣欧使節団の一員としてパリを訪れた福沢諭吉がこの病院を視察していた。

＊フラン：フランスフラン。フランス共和国の通貨。1フラン=100サンチーム（またはラッペン）1999年ユーロに移行。

＊飾り窓：フランスで売春が禁止されていたわけではなかった。飾り窓はオランダだけにあるものと思っていた。

入ってみる。中庭に彫刻があり花が植えられて、まるで公園のよう。白衣が日本と余りかわらないが、キャップがトルコ帽をもっと平ぺったくした感じ。かなり大きな病院。夕食、カフェでサンドイッチにミルクテイー。サラミをフランスパンにはさんだもの。フランスパンは１週間も経ったんじゃないかと思うほど、硬い。彼女はウインナーとチーズをはさんでやいたもの。もうウインナーはたくさん。二人で１０２．１０フラン*(約７００円)。途中で飾り窓*らしきものを見る。思いがけなく。それにすぐ側にポリスボックスがあり、おまわりさんも。どうなってるの？

ホテルの前の店でスワンの型をしたシュークリームを買う（１．６０フラン)。ホテルのお湯で日本茶をいれて飲む。クリームが少し酸っぱい感じ。フランス人の愛想の悪さをさんざんきかされたけど今まで会った人はそうでもない。と言っても、ホテルのおじさんに、店のおばさんに、通りがかりの二人の女の子くらいだけど。今朝アムスのユースで起きた時､左腕が少し痒かった。夕方、気になって見てみると明らかに何かの虫に刺された跡があった。周囲まで紅くなってて、ぶつぶつが出来て、とても痒い。といっても蕁麻疹とはちがうようだ。フランス語は耳に快い。でも少しもわからない。

１０／２

安ホテル、文句は言えないが、前の通り、車の音がうるさくて睡眠不足。朝、クロワッサンとカフェ・オ・レの朝食。黒人の女の子が運んできた。クロワッサンは福岡のロイヤルの方が私にはおいしい。期待していたけど、今朝のはおいしくない。お店で値段を見ると、大きいけれども1個１．７０フランくらいする。コーヒーとミルク、半々のカフェ・オーレ。角砂糖はモスクワほどひどくはないがヨーロッパのどこも硬い。飲み終わってもまだ残っている。二杯飲んで、昼過ぎ、トイレがなくてとても困った。９時過ぎホテルを出て今日は初めてノルマを果たした、という感じ。市電がとてもわかりやすい。途中で2回きいた。フランス語で、彼らは英語は出来ないみたい、一生懸命おしえてくれると言葉はわからなくてもわかるもの。コンコルド広場―カルーセル凱旋門―ルーブル。コンコルド広場―政治犯が囚われていた所―カルチェラタン―ソルボンヌ―リュクサンブール公園。ソルボンヌ―モンパルナス墓地―エッフェル塔―シャイヨー宮―ドゴール広場―エリゼ宮―シャンゼリゼ通り―コンコルド広場、とまわり、ほとんど歩いてくたくた。夕方７時過ぎホテルへ。ルーブルの前でひどい目に遭った。私はすぐそうだとわかったのに。むりやり写真撮られて２枚４０フラン（約２８００円）というべらぼうな値段をふっかけられた。言葉は通じないし、財布の中から５０フラン紙幣を取りあげて返してくれないし。おかげで本当に拒否のノンがはっきりと言えるようになった。リュクサンブール公園で、トイレがないときいて、急に行きたくなった。３０分がかりでモンパルナス駅近くの高級（？）デパートの中で親切な婦人におしえてもらった。墓地ではユニフォームを着た、多分、墓守？がいて案内してくれた（モーパッサン、スーチン、ボードレール―鮫島なおのぶ*、サンサーンス、彫刻家、画家、ミュージシャンなど）。余りにも愛想がよいので途中でもしやと思ったら思った通り。でも５フランですんだ。おかげでたくさんの中から探し出す手間が省けたし、写真も写させてもらった。本当の葬式*もあっていた。黒い洋服の人々が中には涙を流している人もいた。香典の受付みたいなところもあって、どこも余り変わらないのかもしれない。夕方果物を買う。オレンジ２個（１.３０フラン）、プラム１／２kg（１.４８フラン）、プラムの生は初めて。ブドウの粒の大きいものとばかり思っていた。梅を楕円形にし、巨峰の色で、種は柿の種の形、種を割ると梅の時と同じような芯？があり、果実は黄色く、スモモの味をもっと甘くした感じ。おい

＊鮫島なおのぶ：鮫島尚信（1845 ～ 1880）鹿児島出身の明治初期の外交官。パリで客死。モンパルナス墓地に日本式の墓があった。私たちが日本人なのでこの墓に案内してくれた。

＊葬式：葬儀はキリスト教では教会で行うということなので、埋葬のための何らかの儀式が行われていたと思われる。1970 年代のフランスの火葬率はまだわずか 1%だった。

しい。おもしろいことに０．０２フランというおつりがないと、店の人は両手をひろげて、首をすくめてみせた。それでおしまい。

１０／３

　パリジェンヌ、時々、ステキな人を見かける。でも、中年以上の女の人の方がシック。若い人は今までとそう変わらない。肌の白さと金髪、青い目というのは圧倒的に北欧が多い。子供も北の子供の方がお人形みたいにかわいい。パリの子供は、色はよく見ると白いけれども抜けるように、とは言えず、目鼻立ちは大げさで、そばかすで、でも茶目っ気があって、かわいい。どこでもそうだが、みんな、パンタロン＊でスカートは、極まれに、超ミニか超ロングで裸足、をみるくらい。それと年取った人に時々ノーマルなスカートを見かけるくらい。こちらは寒いし、活動的でいいから？　朝食は昨日と同じ、クロワッサンとカフェ・オーレ。今日のクロワッサンの方がおいしかった。毎朝これ＊だと手間がかからなくてよい。１２時少し前ホテルを出る。メトロの入口にちょうど靴屋があったので、彼女の靴の修理をしてもらう。“さよなら、さよなら”なんて愛想よく、こんな所まで日本人が来るのかしらと思う。結局、とめ金をよくしてもらっただけで５フラン。でもとめ金の方

＊パンタロン：1960年代中頃は外国から多様なファッションが入って来た。パンタロンもその一つで、日本では特に60年代末にサン・ローランが発表したパンタロン・スーツからこの語が定着し、婦人用のズボンに対して用いられるようになった。その後、パンタロンという言葉は使われなくなるが、女性のパンツ（ズボン）スタイルは定着していく。一方で、同じ頃に入って来たミニスカートの大流行が先に始まっており、この時期はどちらも流行の終わりにあったのだが、わが国ではミニスカートを中心とするスカートスタイルの方が数としてはまだ多かった。

＊毎朝これ：コンチネンタル・ブレックファスト（Continental Breakfast）のこと

向が悪く、足背につきささって彼女は痛みをこらえて歩いてまわった。ルーブル、余り多いので知っているものだけ。モナリザ、ミロのヴィーナス、ドラクロワ、最後の晩餐、---- ゆっくりみられたらすばらしいだろう。日本人の団体が多い。ここでは、皆、無視しあう。際限ないから。でも団体の、おばさんたち、まあ、中年以上の男の人は普通のスーツ、それもわりあいきちんと着ているが、女性はひどい*。初めてはいたパンタロンに、まるで運動会ででもはくようなペッタンコぐつ。旅は軽装で、のつもりかもしれないが、本当にこちらの婦人を見習ってほしい。ただ一人だけ着物をきちんと着た人がいた。私たちも、人のことを言える立場ではないことはわかっているが。

＊女性はひどい：この時期、パワーに溢れた農協の団体旅行者のマナーが顰蹙を買うこともあったが、ここでは美術館を訪れていた団体の女性の服装だけを見て感じたこと。

モンマルトルのサクレ＝クール寺院へのぼり、ユトリロの絵にあるような坂の町で昼食。にんじんの生（とても甘い）、冷たい豆のサラダ、ロールサラミ（？）、フライドポテト、さや豆の煮込み、野菜サラダで約２０フラン。スープがほしかったけどなかった。黒人がとても目立つ。今までのどこよりも多い。それでもニューヨークでは５０％近いという。バスチーユ広場、記念塔があるだけ。英国へ渡るホーバークラフトの予約をする。明朝のつもりだったが、鉄道が、今日明日ストライキという。

それで明後日、９：３０発、ユーレイルパスがきいて６８フラン。思ったよりやすくてよかった。夕食はホテルの前の店でバゲット１本(０．７０フラン)、とてもやすくておいしい。くだものブドウ１／２kg（２．４０フラン)。辻さんにもらったチーズ（雪印)、ノリ、梅干し茶漬けをスープにして飲む。とてもおいしい。でも、まだ、体重とりもどさなくては。それともう一つ、何という名前だったか、こういう野菜*。よく店にある。とてもおいしいと、伊丹十三さんの本*にあったが。とても自分では料理出来そうもない。アニージラルド*みたいなショートカットの女性が多い。それとかなりの人が耳にイヤリングの穴*をあけている。小さな女の子までイヤリングをして装身具をみんな好むらしい。小学生くらいの女の子が別れ道で男の子の両頬に接吻してた。そして、それを微笑んで見守っていた先生らしき女性にも。それと対照的なのが地下道での黒人と中年白人女性のラブシーン。背筋がゾッとするほど凄まじい、気持ちの悪いものだった。

＊こういう野菜：アーティーチョークらしき、下手なイラストをページの余白に描いている。

＊伊丹十三さんの本：伊丹十三（1933 ～ 1997）。日本の映画監督、俳優。『ヨーロッパ退屈日記』（文芸春秋新社、1965 年）のち文庫、新潮文庫『女たちよ！』（文藝春秋、1968 年）のち文庫　のち新潮文庫

＊アニージラルド：Annie Girardot（1931 ～ 2011）はフランス出身の女優。

＊イヤリングの穴：イヤリングピアス。ピアスの歴史は非常に古く、一時途絶えていたピアスが再度見直されたのは 1960 年代のヒッピーや 80 年代のパンクロッカーたちによるといわれる。わが国では、1990 年代から、イヤリングからピアスの時代になってきた。

１０／４

鉄道でベルサイユへ。サン・ラザール駅より約３０分でベルサイユへ。２両のうち半両は一応一等。でもほとんど乗客なく、車掌さんもま

わって来ず、降りた後、改札があった。ユーレイルパス OK。帰りのサン・ラザール駅、切符を箱の中に投入するだけ。タダ乗りも OK ？ ベルサイユはすばらしい宮殿と庭だった。途方もなく広い庭は、最後には迷子になって、とんでもない方向に出て、駅までずい分歩いた。若い女の子も、警官（彼らはとてもかわいらしい、ドゴールみたいな帽子＊を被って、若くて）らしい人も、皆、英語がわからない。知っていても知らんふりするなんて、誰が言ったか、とんでもない。彼らは確かに知らないのだ。太いバゲットを０．７０フランで買い列車の中で食べた。ホテルの近くにはパン屋ばかりで、夕食できそうな店もないので、果物とハムを買う。ハムはにんにくの匂いがぷんぷん。生では食べられないのではと思って、おじさんに、彼女が会話本＊を示してたずねた。３．５フラン、おいしかった。サン・ラザール駅からメトロに乗る時、初めて人（中年婦人）の改札＊に出会った。使用済みのパリパリした切符を彼女が何枚か持っているのでそれを使うつもりだったのに？（１．３０フラン）。高い。しかし駅に捨てられた切符はどれも２つも３つも穴が入っていて、誰も１回で捨てる人はいないみたい。ちゃんと乗車賃を取るのと、人件費にかけるのとでは、やっぱり今みたいにタダ乗りを許す方が楽なの

＊ドゴールみたいな帽子：シャルル・ド・ゴール（Charles De Gaulle、1890～1970）はフランスの第 18 代大統領（在任 1958～1969）。写真で見た軍服姿の彼がかぶっていた帽子。因みにこの時のフランス大統領はジョルジュ・ポンピドゥー（Georges Pompidou、在任 1969～1974）

＊会話本：『六カ国語会話　ヨーロッパ・アメリカ編』（JTB 編）

＊人の改札：現在では地方に行けば無人の駅も珍しくないが、当時のわが国では全ての鉄道や電車、バスの駅には改札口があり、乗車時、降車時の両方で、場合によっては車中でも、人（車掌）がきちんと改札を行っていたので、それが当然だと思っていた。

かしら？　ベルサイユで１日つぶれた。でもぜひ見るべきところ。昨日みたパントマイム人形、何とも言えない異様なムードはステキだ。この次みかけた時、それほど高くなければほしいな。ベルサイユの町で、２つ、開業医らしき表札をみる。普通の表札くらいの小さな板に“ドクター○○のクリニック”、または“デンティスト”なんて、ひっそりと。大きなビルの、アパートの一階みたいな感じの所に。自宅だったのかもしれないが。それにしても、こちらには病院や医院の看板や広告が全くない。はじめて来た時には場所がわからなくて本当に困ってしまうだろうと思うほど。昨日と今日、はじめて汗をかいた。とても暖かい。

１０／５

９：３０パリ北駅発でロンドンへ。やっと英語の国に行ける。

ロンドン／イギリス

ホーバークラフト*、凄く速い。どちらかというと飛行機、ちゃんとプロペラもある。しかし、かなり揺れる。３０分だからいいけど、あれで２日間だと身体がもたない。窓はしぶきでほとんど外は見えない。でも、はね散る波に光が当たって絶え間なく水の上に小さな虹ができる。美しい。ドーバーの町も古城*があって、

＊ホーバークラフト：「Hovercraft」は商品名で、ドーバー海峡で使用されていたエア・クッション艇の一種。エア・クッション艇とは、船体と水面または地面の間に圧縮した空気層をつくり、船体を空中に浮揚させ、高速度で飛行する船舶。

＊古城：ドーバー城

海があって、美しいところ。今日はロンドンまで。かなり遅れてロンドンに。でも駅名がちがう＊ので気づかなかった。金曜日は銀行が午後３時半までで、通りがかりの婦人が旅行会社“COOKS”をおしえてくれた。地下鉄、日本なみ、丸くて低い屋根。ドアも同じ形なので、背の高い人は首を折り曲げないと戸が閉まらないと、何かで読んだが全くその通り。大きな荷物を持って、ホランド公園のユースに泊まるつもりが電車乗りちがえでここに＊。手にはマメが出来るし、お昼前食べたサンドイッチだけでお腹は空っぽだし、頭痛ががんがんする。隣のベッドの女の子、日本人と思ったら２世 or ３世、ほとんど日本語はわからず、けらけらよく笑う。白浜文代バーバラさん。カリフォルニア在住。近くの店で夕食を買う。２０ペンス＊ですごくやすいと喜んだら一口も食べられない。白と黄色の外米をよく煮ないで、一見カレー風の、香辛料の違うスープみたいなのをかけて。ずいぶんやすいと思ったのに。結局、彼女の持ってきたラーメン。久しぶりでおいしかったが、もともとは好きなものではない。

＊駅名がちがう：ドーバーで乗った列車はチャリングクロス（Charing Cross）駅についた。

＊ここに：電車乗り違えでここにとあるが、手元に残っていたユースのチェックアウト表の切れ端をみると「ホランド ---」とある。？？

＊ペンス：イギリスの通貨はポンド。ポンドの補助単位はペニー（複数形がペンス）で、1971 年より１ポンド＝ 100 ペンス。イギリスは EU 加盟するも（2020 年に脱退）通貨の統一はしていなかったので、ポンドが現在まで独自通貨である。

１０／６

昨夜はユースで眠れなかった。シャワーが寒かったのか、ガタガタ悪寒がきて、その後は熱っぽく。おまけに、人が遅くまでしゃべるので、ちっとも寝つかれず、明け方は何かを探しまわる夢を見ていた。こうなったらもう楽しみでも何でもない。朝は頭痛がやっぱりするし、セデスをのんでユースを追い出された。のどが痛い。扁桃腺が久しぶりに怒ったみたい。ホテルをとってバッキンガム宮殿へ。英語へたくそ。すごい観光客。もちろん日本の団体客もたくさん。１１時すぎから約１時間近く、思っていた以上にハデに、楽隊はデキシーか何かを演奏して、そのくせ真面目くさった表情がおもしろい。こういうのを毎日やるというのが、又、驚きであるけど、あれだけの観光客を毎日集めるのだから、観光政策上も簡略とか省略とか簡単には出来ないだろう。それからウエストミンスター寺院へ。だと思うけど、どこにも“アビー”という表示がない。工事中だったのは１１月のアン王女の結婚式 * に備えてと解釈したが早合点かも。土曜午後はほとんどの商店が休業 *。どこも店内を薄暗くしたり、窓の日覆いをおろしたりはしているが、日本みたいにシャッターを下ろしてしまって、店内がまるきり見えなくしたりはしていない。通りそのものは明るい。アールスコート駅近くのセルフサービスの店で食事。ここも若い日本人が目につく。食パンにハムをはさんだようなものとポテトサラダ、

＊アン王女の結婚式：アン王女はエリザベス二世の長女。アン王女の（最初の）結婚式は、1973 年 11 月 14 日にウエストミンスター寺院にて行われた。

＊商店が休業：英国に限らず、訪れた国々では、観光地においても、昼休み、土日の休業が徹底していた。その徹底ぶりは当時の日本人の私には理解しがたいほどであった。

野菜ピクルスつけ合わせ。それと"うめぼしのジャム"をはさんだパイとコーラで５０ペンス（約３５０円）。今までの所よりいくらかやすい。新聞デイリーミラー（３ペンス）を買って地下鉄でホテルへ。霧のせいだと思っていたらやっぱり曇っていたのか雨になった。そうひどくなければいいけど。ホテルが５．５ポンドだったので１晩にしたのに。地下鉄はラッシュ時でなければゆっくり乗れる。列車もいろんな種類がある。改札係はほとんどが黒人だ。女の人も多い。新聞は日本のものの約１／４の広さ＊で読みやすい、といっても余りわからない、見出しばかりに見える。それと街頭で婦人が何かの募金をしていた。私たち二人の前に小さな男の子と女の子が来て、１ペンスくれと、その婦人を指さして言うので、てっきり一緒にやっているものと思って、二人、１ペンスずつさし出すと、二人とも別の方向に行き、私たちがその婦人に告げると、彼女から叱られていた。それと今日は女王陛下はバッキンガム宮殿にはおられなかった＊。１シリング＝５ペンス、２シリング＝１０ペンス＊、ややこしい。朝食はヨーロッパの今までの国と少々異なる＊。コーンフレークに牛乳をかけて、ベーコンと卵焼き、大豆、パンもある。それにコーヒー又は紅茶。

＊1/4の広さ：タブロイド判、普通の新聞１ページの半分の大きさのもの。

＊おられなかった：バッキンガム宮殿に掲揚されている旗によって女王の在・不在がわかるようになっている。

＊２シリング=10ペンス：1971年まで、1ポンド=20シリング=240ペンスであったが、計算時に混乱しやすいため、1971年2月15日に1ポンド=100ペンスに切り替えられた。(Decimal Day, 十進法の日)

＊少々異なる：英国式朝食（English　Breakfast）

１０／7

就寝困難症にかかったみたい。朝はコンチネンタル式朝食。英国式で摂るには２０ペンスの追加料金と書いてある。トーストにバター、ジャム、ミルクテイー、生ジュース。紅茶がとてもおいしい。それにどこで飲んでも必ずミルクテイー。それもかなりのミルク量。ミルクは書いてあったように冷たい。ビクトリア駅でバッグを預けようとしたらどこもダメ。チャリングクロスの駅は工事中だったからと思ったら、ちがう。最近までロッカーも預かり所も使用されていた形跡があるのに “Police Notice! Securitary reason” なんてあちこち貼り紙があり、インフォメーションでも一度に３人ずつとかしか中に入れず、外で行列して旅行者は大きなリュックをかついだまま待っている。とても異様な雰囲気で何となく気味が悪いし、荷物を預けられないのが一番困る。クローク係の黒人は暇を持て余しているのか、親切にいろいろおしえてくれた。コーチステーションで切符を持っていれば預かってもらえることなど。もともとチケットのことでインフォメーションに行くつもりだったので喜んで出かけ、いろいろきくと、８日間の分ではエジンバラまでの急行には乗れないとのこと。それで使用しないで持って帰るつもりでクロークに行くと、やはりチケットは持っているかときかれ、日付の入っていないまま“これでいいか”なんてすまして出したらOK。愛想よく預かってもらえた。もう一度ビクトリア駅にもどってひょっと見たらインフォメーションに日本人がいる。彼女がいうので地図でももらおうと順番待ち。そして聞くところによると爆発予防*のため英国内どこでも預からないとのこと。コーチステーションでもバッグを開けて荷物を調べられた。“酒はないか”なんて言っていたけど、火のつく酒のこと。それにもう一つ、もうけもの。バス料金の方がはるかに安いこと、列車の約半分。チケット使わないでもバスに乗った方がよいことが分かったので、夕方、予約に行くと、こちらの人は親切にニューカッスルまで席をくれて、あと乗りかえるとチケットで済むことをおしえてくれた。これでホテル代も１泊分うくことになるが、又、疲れることだろう。ロンドン塔を見る。その前にタワーブリッジ、ロンドンブリッジを渡る。タワーヒルのメトロの近くで、又、二人の子供にお金をせびられた。ビクトリア・メトロの近くでは昨日の子に。どちらも貧しい身なりをして、まるでモスクワのホテルに来てガムをひっぱるまねをして欲しがった子と余りちがわないが。“マネー、マネー”と、ああ言えば渡す観光客がいるのかしら。それにしても、首の無い人形を道

＊爆発予防：北アイルランドとの紛争が激しかった時期。爆発物を使ったテロを防止するためにロッカーや荷物預り所は全て閉鎖されていた。日本にいる時からよくきいていた問題であるのに、その時自分たちがその国にいることをすぐには理解できていなかった。

端に座らせてする募金は何のため？

２１：５５発バスにてニューカッスルへ。結構バスはいっぱい。暖房がききすぎて、それにゆれるので寝苦しかった。

１０／８
ニューカッスル

６時少し前にニューカッスル着。車掌さんに起こされた。まだ真っ暗。待合室で待つ。８時エジンバラ行きに乗りかえ。コーチマスターカード＊を、余り使う人はいないようだ。それと必ず予約が必要。もっとも今日は運転手さんがどこかで予約してきてくれた。

＊コーチマスターカード：英国で長距離バス（コーチ）に割安料金で乗ることのできるパス。購入して行ったのは８日間のパス（5600円）。

英国はいろんな点で日本に似ている。何となく人がせかせかしている。人が多い。右側通行。交通標識がおおげさ。似ていないところ、風景。山が見えない。緑が多い。ヨーロッパ大陸はどこでも酪農がさかん。でもドイツ、デンマークの方は牛が多かった。が、ここは羊が多い。背中に赤いものがついているので毛を刈る時、傷つけられたのかと思うと、そこら辺の羊、全部そうなっている。ここの牛は夜中も放し飼いで、寒いのにと、彼女が非常に哀れんだ。しばらく経って別の集団の羊の背をみると青印。これは名札がわり。

かなり高い所をバスは走っているのか、遠く

＊ 80km/ 時以上：彼女は運転免許をすでに持っており、自分の車をよく運転していた。

に海が見える。このバスはすごいスピード（彼女に言わせると８０km ／時以上*）を出すので、急行かと思うとそうでもなく、時々、国道？を逸れて村の中をひと廻りし、小包を届けたり、それも運転手自ら、人を乗せたり、それが停留所の表示なんて何もなく、橋のたもととか道端とか、信号待ちの時とか、そして元の国道へ入り、又、スピードを出し、トラックや小さな車を追い抜いたり、本当に面白い走り方をする。余り時間がかかるので、地図の距離をみて遅くとも２時間でニューカッスル、エジンバラ間は十分と思っていたのに、途中からこちらものんびり構えて、途中でトイレにおろしてもらったり、適当に楽しみ、セントジェームズのコーチ・ステーションに着いたのがなんと午後２時！

エジンバラ

少々疲れて、帰りは同じコースはとりたくない、だって１６時間もかかるのに、ロンドン直行だと１１時間くらい、急行料金だけでよいかきこうと思うと、彼女は“３ポンドかかるのよ”と、てんで問題にもしない。

ホテルに部屋をとる。オフシーズンのためかダブル（私はこれが本当はいや）で一人２．５０ポンド。朝食付でやすいと思って入ると、すごい、マントルピースのある広い部屋。何という様式なのか、宮殿の１室のよう。ダブルベッドが２つとシングルが１つ、念のため他の誰もここには来ないことを確かめる。１泊ではもったいない気がする。ここはステキな町。ロンドンなんて問題にもならない。町の家々の美しいこと。建物が古いのか新しいのか見当もつかないが、住宅以外でもすばらしい、建物が美しい。それに日本人には唯一人しか遭わなかったのもうれしい。こちらの人と結婚して小さな男の子のいる婦人。にっこり会釈して旅行者とはちがう。ホテルのメイドのおばさんの英語が少しもききとれない。やっぱり方言があるのかしら。少しは耳慣れたつもりだったのに。デイリーエクスプレス紙（３ペンス）、日本の新聞と同じ大きさ。トップ記事＊（ISRAEL:WEVE SET SUEZ TRAP）、それと、ネス湖日本探検隊＊の唯一の女性隊員TOMOKO SUDOのことが載っていた。

＊トップ記事：第４次中東戦争（1973年10月6日～1973年10月23日）の始まり。

＊ネス湖日本探検隊：スコットランドのネス湖には、未確認の怪獣（ネッシーと呼ばれていた）がいるといわれていた。日本では1970年代にネッシーブームが到来して、当時国会議員だった石原慎太郎氏を総隊長とするネス湖怪獣国際探検隊がこの時期、ネス湖に探検に来ていた。日本にも優雅な人たちがいるものだと思った。

１０／９

昨夜はよく眠れた。のどが痛い。扁桃腺が化膿している。朝食、英国式。コーンフレーク、ベーコン、紅茶、パンにバター、オレンジマーマレード。食パン＊はサンドイッチ用よりもっとうすく、それを斜めに、三角形に切ったあとトーストしている。切り口がせまいながらも焼

＊食パン：英国で初めて私たちの知っている食パンが出た。小麦粉材料の真っ白の、英国式の山型のパン。薄く切ってトーストして、バターやマーマレードをつけて食べる。

けている。手間のかかることだけど、それがこの前のホテルでは一人に１０枚ぐらいもきた。彼女はロンドンから帰る＊という。それも仕方がない。

１１時前にホテルを出てエジンバラ城へ。余り大きくはないがきれいに保存されている。入口が、又、改修中（？）。どこもシーズンオフのためか、道路工事中だったり、地下鉄工事中だったり、建物の修理中だったり、人に余りあわないのはいいことだけど、きちんとそのままの姿を見ることができないのは残念だ。ウィンドウショッピング。とてもかわいくて、やすいベビー用品＊があったので（１１ペンス、９９ペンスの洋服）彼女と見ていたら、全部、メイド・イン・ホンコン＊！　がっかり。今日も、ウィンドウショッピングだけで終わる。皮製品がとてもやすい。洋服もセーターとかスラックスとか日本よりかなり安いけど、どれも大きい。ビーズのバッグなんかも２千円ちょっとである。買っておこうかとも思ったが、きりがないし、スペインの物価はもっとやすいはずだから、がまんする。昼食は例によってセルフサービスの店でスコッチ・ミートパイを食べる。ポテトフライとビーンズ、それにジュース、生クリームのパイで５０ペンス足らず。食べ物もとてもやすいのがうれしい。が、いつも、どこで

＊ロンドンから帰る：長期間、常に二人でいることからくるストレス、二人ともこの時がピークになっていた。そのこともあって彼女はホームシックになっていたようだ。帰国するにせよアメリカに行くにせよ、何とかしてあげなくてはと思う一方で、やっぱりここから一人旅になるのかなと不安に思っていた。この後、他の人々、特に大阪からの二人と一緒に行動することも多くなって、この状況は改善！

＊ベビー用品：当時、彼女のアメリカのお姉様には生まれて間もない息子さんがいた。

＊メイド・イン・ホンコン：Hong Kong は当時英国の植民地であった（1997 年中国に返還）。当時、香港製のいろいろな製品が日本にも輸入されていたが、「メイド・イン・ホンコン」には現在私たちが「メイド・イン・チャイナ」に対して抱くそれと同じ印象を持っていた。

食べても同じようなメニュー。ホテルを探しまわって、一人４．５０ポンドの所を断って、インフォメーションで紹介してもらう。２．２０ポンドを喜んだものの、歩いて歩いて、市街地図からはみ出た所。明朝は早起きでがんばらなくては。“May I help you?” 私たちが道でうろうろしていると必ず誰かが、それも必ず年をとった人が話しかけてくれる。会話で習っていた通り、今日やっとそれに “Yes, Thank you.” と応えることが出来た。いつも自分のききたいことばかり、ついあせってしまって。それにしてもこちらの英語はわかりにくい。“th” “R” はもちろん、今日は “eighty” の “ei” がなかなかわからなかった。

英国で絶対やすい（と思うもの）。紅茶（５～５．５ペンス）、コーヒー（８ペンス）、ケーキ（９ペンス）、チョコレート （３．３、４．５、９ペンス）など。人形（２４～５６ポンド）、すごく高いけど、ステキな陶器人形。言葉に関して、バイバイ（Bye-bye）は外国でも幼児語だときいていた。なのに、みんなバイバイという。誰もグッド・バイなんて言いはしない。Good by というのは本当の別れの時みたい？

１０/ １０

目がさめたのが７時半。８時半のバスは諦めて９時半にホテルを出る。朝食は英国式。こちらに来てスウェーデン以来紅茶ばかり。もちろん今朝も。グラニュー糖の他に日本でいう“きざら”みたいな砂糖がある。こちらの方が甘くない。１０時半と勝手に思っていたらちょうどニューカッスル行きが来たので、チケットを見せると予約の紙を持って来るよう言うので、昨日の所へ。時間をきいただけでチケットを見せなかったので彼女は教えてくれなかったのだ。コーチ・サービスのステーションではどのバスについてたずねてもいいけれど、特に、あのチケットは必ず見せて予約しないといけない。１０時半と思ったのは１０時１５分で、もちろん間に合わなかった。おかげで１２時０５分までの時間つぶしのつもりで入ったナショナルギャラリー＊（無料）ですばらしい絵をみることができた。１６室しかない小さなギャラリーに、レンブラントの自画像をはじめ小品が多数。ラファエロ、セザンヌ、ドガ踊り子３点、その他、ゴーギャン３人の女、風景、ヴァン・ダイク、など。時間が足りなくて本当に残念。ルノアールもあった。ルーブルではうんざりするほどだったけど、こういう所はゆっくり見たい。ジョージ（？）・ストリートの商店街、まだ出来上がりの途中だけどもうすっかり、どの店に何がいくらであるか覚えたみたい。ずい分

＊ナショナルギャラリー：National Gallery of Scotland

安いのでよっぽど買物しようかと思ったけど、幸か不幸か中に両替所がなかったので、又、見送った。すべてスペインで。エジンバラはいいところだった。皆、いなかっぺに見えるし、すごい訛りみたいだけど、何となくいい。天気が余り良くなかったけど、もう少し時間があったらいろいろみる所も多いのに。プリンセス・ストリートのスコット・モニュメントの前でBBC ?のロケがあっていた（デンマークの駅でもロケをみた）。民族衣装、タータン・チェックのキルトをはいた＊若い男の人が、これも民族楽器、バグパイプを高らかに吹き鳴らしながら寺院の前を歩くだけ。それを何回も繰り返す。

１２：０５セント・ジェームス・コーチステーションを出発。逆コースでニューカッスルへ。途中、霙みたいなのが降り出して、バスの中はすごく寒い。今日は女の車掌さん、もう６０歳位には見える、が乗っていて、彼女が変な機械で切符を切ったり。日本ではああいうのを使っていたらとても間に合わない。小包を届けたり、でも決して、次はどこですなんて案内はしない。すべて個人的にひそひそと。途中、乗換えのBermich* に着いたら、ちゃんと次のバスを教えてくれる。今日は残念ながら時間がなくて、市がたっているのを横目にトイレだけ。朝食以来、午後５時過ぎにニューカッスルに着く

＊キルトをはいた：スコットランドの伝統衣装であるキルトは、タータン柄のウール生地を腰に巻き付けるもので、昔は一枚布を巻き付けてピンで留めていたという。キルトはズボンのようになっているのだろうと私は思っていた。

＊ Bermich：Berwick-upon-Tweed（ベリック - アポン - ツイード）のことと思われる。スペル間違い。イングランドにおいて最北のタウン、スコットランドとの国境から南４キロの位置にある。

まで飲まず食わず。コーチステーションで予約する。運よくその後、すぐクローズされた。どの人も大体親切。ペラペラペラと話したあと、必ず“わかったか”ときいてくる。わからなくても二人、“わかりました。OK！” なんて。それで余りわかってないことが多いけれど、どうやら大きな間違いはなし、今日まで。英国では、トイレはめずらしく有料の所が少ない。ロンドン、ビクトリア駅で５ペンス払ったら、とてもきれいな所で、おまけにタオルまで。２ペンスの所では小銭がなくて、結局払わずに、おばさんが“いいから、いいから”って。荷物も預かってもらえないけど、コーチステーションでは１個／５ペンス／日。他に比べたらこんなやすい所ない。ニューカッスルでは夜の市内を見た。ここにも銅像が多い。何かのモニュメントもある。セント・ジョンズの教会、その近くに紫色の照明があるので何かと思ってみると市庁舎。大きなビルが紫色に浮き上がっている。２２時にバスへ。コーチとはロンドンより外に出るバスのこと。市内バスでないバス。乗りすぎて腰が痛い。

１０／１１
ロンドン―ドーバー

朝６時少し過ぎにビクトリア・コーチステー

ション着。やっぱり疲れて頭痛がする。のどもよくなっていない。8：45発でドーバーへ。バスに乗ってすぐ、何故だかわからないけど床が水浸しになり、(外は雨だったが)、乗客15人くらい、皆、くすくす笑って、ドライバーと楽しそうにやりとりしている。車の調子も余りよくないようで、結局、乗りかえたが、いらいらする人は一人もなく、皆、楽しんで私たちにも何かと話しかけてくる。が、わからない。こんなゆったりした人々が横断歩道で青信号を待たずに、時には駆けて横断するのか、理解に苦しむ。せっかちな日本人でさえ決して赤では渡らないのに。明日の12：30のホーバークラフトを予約す（3.70ポンド)。ドーバー城に行く。海が見える。天気が悪いせいか、青くなく、海と空の境目がはっきりしないくすんだ微妙な色で美しい。凪のように海は静か。城内でワーテルローのモデルを見る。小さな、すごい手の込んだもの。世界史をもっと知っていたら、それにキリスト教を知っていたら、ヨーロッパでは（もちろん英国でも）見るべきものは限りなくある。夕食はキッチンで、ルイーズ、レスリー、スティーブ、そして、おじさんと日本人のいとのり氏とで賑やかに。カナダではほとんどの人が英語の他にフランス語を話すとか。日本の英語教育は、本当に効果のない方法で行われているのでは？　ルイーズとレスリーは同室。４人で一生懸命おしゃべりした。２０と２２歳。２２歳のレスリーはあと２年看護学校へ行ってナースになるという。私たちの発音が悪くて“ナース”がなかなか理解してもらえなかった。ボーイフレンドはデンティストになる勉強中。ルイーズの方は画家志望。義務教育が１１年で５年間大学、その後２年でナースになる、計１８年もかかるわけ。

１０／１２

＊ Alpen：シリアル。シリアル食品は 1980 年代に日本にも入り、年々消費量が増えてきた。Alpen は 1932 年創業のイギリスの食品加工会社ウィータービックス社が、60 年代後半に製造販売を始めたミューズリー。現在は英国からの輸入品が市販されている。

朝食、昨日の話に出た Alpen* を試みる。ナッツにレーズン、それにコーンに日本のハッタイ粉（？）みたいなものをミックスした、まるで鳥にでも食べさせるみたいな粉にミルクをかけてスプーンで食べる。甘味があって最初はおいしかったが、多過ぎる。ルイーズは空腹だったのか２袋をケロリと食べてしまった。トースト、ガスの火を下につけてその下（上？）に、日本でいう魚焼きの網にパンをのせて片面ずつ焼く。こうするときれいにやける。たった２枚の（それもうすい）食パンでもそうして手を入れて食べる心がけは立派。彼女たちは２枚の間にバターとジャムをぬって、それを三角形にナイフで切って食べる。彼らはいつでも必ずナイフを使う。なぜ三角形に切るのか、ときいて、すぐ、愚問だったことに気づいた。こうすると、とても食べやすい。口のまわりを汚さなくて上手に食べられる。しかし、彼女たちは答えに困って“お母さんがそうするように言った”“おばあちゃんも言った”なんて。英語がしゃべれないのは日本人ばかり。もちろん旅行者の中で。日本人以外はどこででも英語を話してる。

ドーバー—パリ

ホーバークラフトでブーローニュへ。列車でパリへ。フェリーだと3時間かかるそうだけど、2ポンドと少しでいくらか安いそうだ。中で免税のコロン*を買った。オステルリッツ駅で予約しようとするとストライキ*で受けつけない。18：03発に間に合いそうなのでかけつけると、ドアがしまらないくらい、いっぱいの人。一等も二等もあったものではない。22：50発はどうやら出そうなので早めにホームに出ることにして北駅へ。駅前で待望（！）のオニオングラタンスープを食べ（5.5フラン）、メトロでオペラ座へ。灯がともってとても美しい。今日は、あってないみたい。22時過ぎに着いたらもういっぱい。

＊免税のコロンを買った：ホーバークラフトにはキャップとマントのようなユニフオームをスマートに着こなしたホステスが何人もいて、乗客の世話をしていた。

＊ストライキ：この時のストライキは「まだ」か「また」か、忘れたが、フランスはストライキの多い国だと思った。

10／13

まるで悪夢のような夜が明けた。トイレの中まで人でいっぱい。感心なことに皆トイレをがまんして朝五時過ぎて、はじめて。日本人ばかりぞろぞろ続いていくので、皆ニヤニヤ。でも、格好を気にしてはいられない。Irun* 近くなってはじめて一等が空いた。やっとかけられて、天国にでも行ったような気持。

＊Irun：イルン。スペイン、バスク州。フランスとの国境。フランス国鉄とスペイン国鉄とが接続する重要な鉄道ジャンクション。スペイン国鉄の鉄道のレールの間隔は、隣接国のフランス国鉄の標準軌より広く（広軌で）作られていた。

マドリッド／スペイン

途中でよくとまると思ったら1時間以上も遅れて、出入国手続きのあと、又、鈍行でマドリッドへ。１０：００Irun 発、チャマルティン駅１８：３０着。LOOK で同じだった札幌組 * と大阪組と会って６人。彼女たちがパリの知人の所で作って来たおにぎりを食べる。おかか入りで、ご飯がかたいけどおいしい。インフォメーションで１時間以上も待って四人部屋を紹介される。１人１００ペセタ * で、６人でおしかけると、ホテルのはずが汚いペンション。スペインでは高級ホテルでなんて、皆、楽しみにしていたのに、夢破れたり。メイドのおしえてくれたレストランへ。カウンター式の何の変哲もないお店。奥へ入って地下に降りかけて驚いた。せまい、うす暗い部屋に、楽器があって、超満員、皆で大合唱。フラメンコの曲と、丸太で作られた部屋が何とも言えないムードで、階段の途中で聴いているだけでステキ。食事は６０ペセタ。ポテトフライ、肉、レタス、米、少しもおいしくない。それが１０時過ぎで、１１時に

＊札幌組：札幌から往路ツアーに参加していた二人と思われるが、残念ながら思い出せない。

＊ペセタ：peseta スペインの通貨。1999 年にユーロに移行。

ペンションに帰ると、入口に鍵がかかってどうしようもない。すると、近くの建物の窓から、おじさんが手を叩いた。思い出した。鍵番*のいることを。6人で手をたたきあって、それがどこでたたけばいいものかわからず、しばらくかかったが、警官みたいな服装の人がやって来て錠をあけてくれた。チップ5ペセタ。こちらの人が手を叩くと、とても高くて大きな音がしてよく響く。スペイン語は全くわからない。ペンションに小さな子が二人いるけど、とてもかわいい。黒い髪の毛と黒い瞳。褐色の肌色。今までのヨーロッパの人とはちがう。

*鍵番：スペイン語でsereno、「夜警」の意味がある。スペインで街を見回る夜警。帰宅者に集合住宅の入口の扉を開けていた。もともとは街灯をつけたりしていたという。

10／14

列車のトンネルも通るたび真っ暗だけど、部屋も窓をしめるとまっ暗。目がさめたのが10時半。シャワーを浴びて外出の準備をしていると、フロントのおじさん*が来て、午後2時にチケットを持ってくるから待つようにと言って出て行った。メイドが5時半に車が来るというので、5時までに帰って来るからと言って出かけた。泥棒市*が終わりがけで、少々買物をして、道に迷って、5時少しすぎにペンションに帰ると、おじさんが来て、よくわからないけど、2時に皆がいなかったからダメだという。言葉が全く通じないし、イングリッシュだというと

*フロントのおじさん：このペンションのフロントには二人の男性がいて、年上の方の男性。かなり年配にみえたので、はじめこの宿の主人かと思った。それで私たちはおじさんとよんでいた。

*泥棒市：「泥棒市」という言葉は日本人旅行者にきいたが、「のみの市」のこと。マドリッドのエル・ラストロ（屠殺場）という場所が週末になると、市になり、たくさんの出店があり、旅行者や多くの人々で賑わった。

＊トロス：闘牛のこと。スペイン語で闘牛を Corrida de toros（牛の走り）と表す。この時は皆、トロスと言っていた。

＊チケット：闘牛とフラメンコがセットになったチケット。

みんなが私に行けというので、“カンカンガクガク”の話し合いで、一応、フラメンコだけ。で、トロス＊はだめだと思っていたら、３０日まであるというので、来週に今日のチケット＊の日付を変えてもらうことにした。大声で話し合って皆グッタリ。この一週間、南の方をまわって土曜日に又来て、日曜日は朝から絶対ホテルでがんばって全部みよう！　このホテルはいつも人の声がしてうるさい。

泥棒市というのは日本の男の人がおしえてくれたのだけど、ずい分賑わうそう。ほんの少し見たけど、全く面白い。“もう３００（ペセタ）もまけたのに、これ以上は無理だ”と本当にダメな顔をして１４００ペセタの絨毯を１１５０ペセタで売ったとたん、にこにこしたお兄さん。９０ペセタの財布をおつりがないからと９５ペセタ取ろうとしたおじさん。彼女があわてて“ノー”と変な声をあげたのでしぶしぶ5ペセタくれたり。来週ノミの市を楽しみにしていたけど、余りゆっくり出来そうもない。夜、レストランへ。１５０ペセタの白ワイン、スイートでおいしい。スペイン料理のパエリア（paella）。米に魚介類をいれてカレー粉みたいな色の香辛料（サフラン）で炊いたもの。2人前約３００ペセタを2つとって6人で。味がとても濃い。米はかたいが、食べられないことはなく、むしろおいしい。値段もスペイン料理にしては決してやすくはない。それで注文した本人が驚いて2つしか取らなかったものの、結果的にはちょうど良い量だった。赤かぶと、例の紅しょうがみたいなつけもの。パン。料理がくる前にワインを飲んで、大阪の彼女、酔って気分が悪くなって、料理は全く食べられなかった。その分、食べようとした彼女は、レストランを出た途端、気分が悪くなって嘔吐。何事もほどほどに。テーブルマナーも、知ってて無視するのは構わないけど、全く知らないのは、おもしろくない。6人で1000ペセタ。間食、カウンターの店で、いかの天ぷら（30ペセタ)、えびの天ぷら（40ペセタ)、コンソメ（10ペセタ)、アイスクリーム(18ペセタ)。天ぷら（?）の衣は塩からくてこんがりうす茶色、かなり厚く、見かけほどおいしくない。どこの店も、いかやえび、かに、子豚の丸焼き、少々グロテスク、をいっぱい、きれいに並べている。アイスクリームはカップ入り、黒砂糖みたいなものが入り、とてもおいしかった。明日はトレドに行く予定。今日、1日無駄にした気もするが、楽しみが1週先にあると思えばいいのかも。近くに“アストリアス”ホテルがある。アランフェスにも行きたいけど、皆と一緒だから ---- ?

１０／１５
トレド

７時起床が８時半。１２：００発でトレドへ。一等なく、１３：３０着。タホ川、アルカンタラ橋を渡り、島（？）内ほぼ１周。時間が遅くなってエル・グレコの家には入れず。スーベニールの店をひやかしてまわった。いいなあと思うものは高い。値段を先に見るわけでは決してないのにそうだから。それに土産品は相当、高い。値切れるだけ値切っても、まだまだで、そう思うと買う気がしなくて、私だけ何もなし。日本人はよほど買物するのか、日本語で“おまけできます”なんて、あとを追い回され、あげくは“こん願”されたけど、彼らのことはもうわかったから、その手にはのらない。トレドはステキな町。他に言葉を知らないけど、石かレンガ（小さな）を積みかさねた家や壁、アルカザールや教会、大寺院。大寺院はとてもすばらしかった。これだけでも価値あるトレド。日暮れてほとんど真っ暗になったトレド風景もいい。それで駅に行ったら、最終と思った２０：１０が日曜日オンリー。そこで待っていたタクシーの運転手、最初そうとは気づかなかったが、うまく話にのせられて、トレド―アランフェス間、約１００km（往復の距離だった？）を、４人で６００ペセタ。約３０分位の間、その運転手、よほどうれしいのか、べらべらしゃべって、まるで曲乗り、はらはらしたが、おかげで憧れのアランフェス*へ降りることが出来た。

*憧れのアランフェス：『アランフェス協奏曲』（ホアキン・ロドリーゴ作曲）という美しいギター協奏曲の題名になっている地。もともとスペインに来たかったのは、ギターの先生からスペイン留学時の話をきいていたから。

アランフェス

アランフェスは夜だったけどとても美しいようにみえた。駅もきれいだし、人は数人しかいない。警官が*、でもちゃんと駅の中にいて、暇なのかしゃべってばかり。とても威張っているという感じ。無理やり写真撮らせて、自分の住所氏名を書いて、さっさと交代してしまった。1時間以上待って、その間、イタリア人とかスペイン人とか何人かの人たちと全く通じない言葉でしゃべっていたら、ひとりが新聞をさし出して、見ると皇太子ご夫妻の記事。そういえば大寺院の美術の室でおじさん（係の人？）に「昭仁」「美智子」のサイン（記帳）を見せられた*。何か一生懸命説明されて、よく聞きもしなかったけど。昨日、大寺院（トレド）を訪問されて、今朝、アランフェスの駅から列車に乗られたとのこと。残念ながら記事は全く読めない。大寺院のおじさんは、タナカ、タナカ*もしきりに言っていたから田中総理もかしら？　暖かく、空も川の水も美しい。風が強くてほこりっぽい。のどがかわいてコーラばかり飲む。コカ・コーラ、WC は万国共通。昼、BAR で、ガンバー（大えび）の塩ゆでとハー

*警官が：フランコ総統（1892 ～ 1975、総統在位 1936 ～ 1975）の独裁政権下のスペインでは治安維持のために警官の数が多いと日本人旅行者からよくきいた。

*見せられた：「ミチコ、ミチコ」と、とても嬉しそうに言いながら見せてくれた。

*タナカ、タナカ：当時の田中角栄首相もこの年9月にスペインを含むヨーロッパ数か国を訪問されていた。

＊ハーモン：ハモン・セラーノ（Jamón Serrano）はスペインで作られる生ハム。肉屋のおじさんが「ハモンセラーノ」と誇らしげに言って、ぶら下がった豚の腿を大きなナイフで薄く切り取ってパンにはさんでくれた。

モン＊(生ハム)のサンドイッチで７４ペセタ。皆、とても表情豊かで愛想がよい。

１０／１６

１１時過ぎ、荷物を預かってもらって、クリーニングを頼んで、土曜日の予約をして、ホテルを出る。何となくいい加減な感じで、本当に日曜日のトロスとフラメンコ、OK なのか、と少々、心配になる。が、その日にならなければわからない。昨夜からの雨、出るころにはやんで、とてもステキな天気になる。陽射しはかなり強く、空が真っ青。昨日、トレドのアルカザールから大寺院への細い道の途中の穴ぐらみたいな所で、靴の踵に“かね”をうってもらった。踵の造りがちがうので、ゴム底をつけることが出来なかった。年よりのおじさん、一生懸命説明してくれて、最初、７５ペセタというので、すごく高いと思ったものの、かねを打っただけで、両方で5ペセタ、チップとともに１０ペセタですんだ。“グラ・シアス”と発音をなおされて、アディオス。

いろいろ土産物屋さんをみてまわり、今夜のグラナダ行を予約して、市内めぐり。昼食はホテル近くの BAR で。定食 No.8、コンソメ、トルティア（スペイン風オムレツ)、何のことはない、アスパラガスをはさんだ卵やき。チキングリル、サラダ付、パン、デザートアップルパイ、コーラで約１８０ペセタ。結構食費もかかる。夕食は同じ店で、コンソメ、コロッケ、ビーフステーキ、サラダ、パン、デザートアップルパイで約１２５ペセタ。１日に１０００円以上、食費にかけて今までの体重を２～３日で取返しそう。心配。どの人も陽気。ウェイターは一生懸命お愛想をいうし、日本語を覚えようとする。スペインでは今までの国のように、セルフサービスというのは見あたらず、もっぱらカウンター式か、カウンターにテーブルのあるもの、必ずウェイターがいる。BAR、カフェテリアとかレストランとか、さまざま。よほど高級なところ以外は気楽に入れる。大阪の二人組がいるおかげで、チップの気兼ねをしなくてよくなった。大体１０％めやす。言葉がちがうおかげで、大声で相談してもはずかしくなくていい（が、私は恥ずかしい）。カウンターで、皆よく飲んでいる。それに陽気だ。列車の中でも、どこでも手拍子をうって、歌をうたう。それが誰もとてもいい声で、いわゆる音痴みたいな人はいるのかしら、と思うほど。王宮とスペイン広場で時間が過ぎた。プラド美術館はこの次。王宮はすばらしい。英語の説明でわからない方が多かったが、それでも、内容だけならベルサイユにも匹敵する。ゴヤのたくさんの絵と、ルーベンス、ベラスケスの数枚、２時間以上も、ガイドさん、ご苦労さん。入場料１３０ペセタで、少々高い。２２：１５発でグラナダへ。

１０／１７
グラナダ

８:００グラナダ着。憧れの地にしては汚い町。しかし、駅は少々はずれ。まずホテル。インフォメーションは今までと全く趣の異なった所にあり、英語を話す老人（ステキ！）が親切に電話してくれた。大阪組の本にのっているブラジリア（Brasilia）。まあ１級､比較的やすく、ツイン４８０ペセタ。王の礼拝堂はイサベル女王とフェルナンド王の遺骸の安置されているところ。昨日の王宮といい、ここといい、イサベル女王は、大阪弁でいう“ごつい人”だったらしい。

１１時半過ぎアルハンブラ宮殿へ。観光地としてはそれほど人は多くはなかったが、大勢のカメラマンと、締め出しをくっているらしい人々の中に、１人、３０cm四方くらいの日の丸を高く持っている人がいたので、もしやと思うと、皇太子夫妻がいらっしゃるとのこと。ほどなくご夫妻が出て来られた。日本人の男の人が横にくっついて話しながら来るので、ずうずうしい人と思っていると、ご夫妻は私たち四人

の前に来られると、立ち止まり、話しかけてこられた*。「元気ですか。お腹をこわしたり、風邪をひいたりしてはいませんか」。彼女は「はい、時々」、私は「いいえ、全然」。「そう、それはよかったわ」「昨日、トレドのサイン（記帳）を拝見しました」と言うと、「そう、おかしな字だったでしょう」なんてニコニコされて。とてもやさしい声でにこやかに、次はコルドバに飛行機で行かれるとのこと。大阪組から一緒に写真*を撮ってもらったけど、興奮状態だったのでピントが合っていたかどうか。何となく前から予感がしてはいたが。しばらくは、皆、気が抜けたようにしていたが、アルハンブラ宮殿の中に入った。今までの宮殿、王宮とちがって、派手な、絵のような華やかさはないが、とてもすばらしい。シエラネバダ山系からひいたといわれる水は数限りないほど多くの、大小の噴水になって噴き出ているし、イスラム様式の宮殿の壁には小さな彫刻、飾りがこれも限りないし、全体の姿、庭園の見事さは、前の興奮をすっかり覚まされる思い。帰り、坂道の両側の土産店をひやかしながら帰った。どこも同じようなものばかりだけど、本当にほしくなるようなものは、高

＊話しかけて来られた：皇太子ご夫妻にお会いしたこの時の写真が週刊誌『女性セブン11月7日号』のグラビアページに小さく掲載されていた。

＊一緒に写真を：一緒に写真を撮らせていただけますかとたずねると、お二人は、私たちとカメラに向かって下さった。
平成になってのある年、仕事の関係の学会の集まりに両陛下がお出ましくださった。この時も思いがけなく大勢の参加者が交代で両陛下にご挨拶する機会を得た。私は皇后美智子さまにアルハンブラでお声をかけていただいたことを申し上げた。すぐに「あれは20年以上も前でしたね。あれからずっとこのお仕事を？」と言われた。この時、「はい」と答えることが出来て本当に良かったと思う。また、この時の福岡県赤十字血液センター所長、前田義章先生は血液事業上の貢献で平成最後の年の昭和天皇記念学術賞を受賞された。

い、高い。途中、ギターの店、FerreR（フェルレル）でカスタネット*を買う。欲しいと思っていたけど、これも予想以上に高い。もっともプロの使うものだそうで１０００ペセタ。ホテル代、これから節約しなくては。ギターも見せてもらった。１０００からずーっと１５０００ペセタまで。やすいのはマラガの工場でつくり、良いのは手工、主人の Ferrel 氏のサインが入っている。１２００ペセタと１２０００ペセタではさすがにちがう。神戸の山根夫妻*にあった。久しぶり。彼の方が王の礼拝堂前で妃殿下とであい、言葉をかけてもらったと、すごい興奮状態。皮手袋を買おうとショーウインドウのある店に入る。と、ウィンドウに出しているのは、ほんの少し。愛想の悪いおばさん*で、棚に並べた箱の中からこちらの言った色だけ取り出して、それも１色ずつ。赤をみる時には黒にはふたをするし、白をみるときには別の色をなおす。決して、並べてみせようとはしないし、指の長さだけ合わせて、決してはめさせようとはしないし、私たちが触ろうものなら、あとを自分の手で“ふーっ”なんて。皮はやわらかいし、滑らかだけど、デザインが少ない。黒のなんてまるで年寄りがはめるようで、彼女だけ赤を買った。するとおばさん、最初、グレーはと訊いた時にはないと言ったくせに、“ジャスト

＊カスタネット：「テラ」といって、木ではなく布地を圧縮したもので出来ていて、プロの使用するものと説明された。tela はスペイン語で「布、織物、生地」を表す語。

＊山根夫妻：往復のツアーで一緒だった新婚旅行のカップル。彼の方は、髪と髭をのばし、ちょっとヒッピー風だった。彼女が“神戸のだんな”とニックネームをつけていた。

＊愛想の悪いおばさん：今読み返すと、商品をとても大切に扱っていることがよくわかる。

モメント”なんて言って、色々出して、私にすすめる。気を悪くした私は“ノン・グラシアス”で出てきた。ホテルで入浴後、彼女ははめてみたけど、ピッタリ。シカ皮なのかラベルに鹿の絵があった（３４０ペセタ）。いろいろお店があるし、いくらかやすいみたいだけど、結構、結構な値段がついている。生地屋さんのショーウインドウには布地と一緒に、にんにくが長くつながれてぶら下がっていたり、店内は反物やさんみたいに、まるく、生地をまいたままおいてある。朝、コダック・カラーフイルムを買う、２０２ペセタ。やっぱりフイルム持ってくるべきだった。

１０／１８

朝から雨、今までで一番ひどい降りよう。ホテルをひき払ってホステルへ。トルティア（３０ペセタ）を昼に食べてお腹いっぱい。ポテトが入った卵やき、冷たかったけど、あっさりしていておいしい。昨日食べたこちらのメロン、割った時にはカボチャの香りがしたけど食べると甘味があっておいしい。スイカみたいに皮の部分と実（食べる）部分が、はっきりわかれていて、白黄色で水気が多い。いつもは昼から天気になるのに、今日は降りつづけ。夕方、映画をみる（３９ペセタ）。２階は３４ペセタで、席までちゃんと案内してくれる。チップが必要なのに6人とも気づかずそのまま。「Soliga」*（？）というタイトルのスリラー。英国を舞台にしたイタリア映画。観客は私たちの周りにいただけで、それほど多くない。映画は小さな画面で古い映画のようにチラチラ雨が降って、シーンそのものにも連続性がなくプツプツ変わる感じ。言葉はスペイン語吹き替え。全くわからないが、ある女学校の教師夫妻の夫が教え子と浮気をし、デートの時、彼女が殺人現場を偶然見たことから、その教師がその事件にまきこまれる。勝手に画面から想像して楽しんだけど、違っているだろう。そのあと、“Cevilla”で夕食。白いテーブルクロスにナプキンを立ててある店。２００ペセタの定食をとる。野菜スープ（にんじん、さや豆、カリフラワー）、味つけは、くせがなくて日本のみそ汁をうすくした感じ。シチュー（ビーフ）、少々肉がかたかったけど、これもまあまあ、ワインは赤、ドライで、この前のようには皆、飲めず、残りを神戸の“だんな”の皮の水筒*へ。こっそり移す間、おかしくてクスクス笑っていた。アイスクリームケーキのカラメルソースかけといつものパンこみで２００ペセタ、高いことはないけど。パンはクラストがかたいけど、うすい塩味があって、真っ白でなくて、バターをつけないで出てくるけ

＊「Soliga」:「Soliga」という語はスペイン語にもイタリア語にもない。間違えて記録したようだ。

＊皮の水筒:「ワイン入れ革水筒」はスペイン土産にする人も多かった。“神戸のだんな”は飲料水を入れて水筒として持ち歩いていた。

ど、ホームメイド的で私は好きだ。隣のアメリカ人グループがメニューを助けてくれた。それにしても、私たち、とても食べるのが速い。ちなみに、本にはCevillaは仔牛のカツレツが名物料理とあったけど、このシチューがスペシャル料理、"—a la Granaduz ？？？" とかなんとか。ランプのカツがあったけど、これではないとのこと。王の礼拝堂のすぐ前でした。

１０／１９

やっぱり雨。でもいくらか天気になりそう。山の手の家々の間の細い道*を歩いて来た。かなり不潔だけれど、どの家も門構えがりっぱで、とても日本の小さな家とはちがう。中をのぞいても、必ず、広い庭があって、泉水か噴水か何かあって、決して中の部屋まではみえない。人ひとりすれ違うくらいとあったけど、それほど狭くはないが、狭い道、階段が上まで続いている。日本のように山手が高級住宅地というわけでもなさそう。上から見下ろすと、ずい分、汚い建物がみえる。ハエもいっぱい。アルハンブラまで登ってみた。今日は坂道の両側を流れる水も、この前みたいに勢いよくなくて、チョロチョロ。皇太子ご夫妻がみえるから水の量を増やしてたのでは、という意見も。でも、やっぱりステキ。中は料金を払わないと見られ

＊家々の間の細い道：旅行書に載っていた所。場所の名は覚えていない。私は単なる住宅地と勘違いしているようだが、歴史的な場所だったと思う。

ないのが残念。帰り、坂道の店で、少々、みやげ物を買う。おまけしてくれるみたいで、そうではなくて、それに包装がめちゃくちゃ。“飾り板”を作っている店で、皆で買物したら、ビニール袋の埃まみれのに入れてくれたり、箱のくずれそうなのに入れてくれたり。時間と手間がものすごい。それほど買う人が少ないのかしらとも思うが、それにしても。しばらく時間がかかったら、店の主人がやって来て、急げという、昼休み*だから。全く、商売気があるのかないのか、おかしくて皆で笑ってしまった。夕食はレストラン“Alcaiceria”で。大寺院のすぐ近く、セビリア*も隣り合せくらい。少々時間が早かったけど、魚のスープ、仔牛のシチュー、デザート、コーラ。今日のは少しも口に合わなかった。魚のスープは白身魚、えび、いか、等の入ったスープ、ピーマンとトマトで味つけしたもので、塩味がなくて香辛料の香りばかりきいて、おいしいものではなかった。仔牛のカツのつもりが、昨日と同じシチューだった。肉はやわらかかったけど、味はセビリアの方がおいしかった。二日間もこんなもの続けて食べるものではない、パンも入れて約１９０ペセタ。9時すぎに外へ出ると、閉じていたはずの同じ“Alcaiceria”向かいの店が開いていて、入口でギター演奏をやっている。四人で、“し

＊昼休み：南欧の国では、昼休みに昼寝をするといい、これをシェスタという。スペインのシェスタが最も有名である。

＊セビリア:Cevillaを「セビリア」と記しているが、どちらかが正しくないかもしれない。

まった、悔しい”と、がちゃがちゃさわいで、しばらく前で立ち聴きしていたら、中のウェイターが気づいて手招きする。遠慮なく入り、一番前のテーブルについた。飲食なしで、チップ５０ペセタ。マンドリンと盲目のギタリストの二人の演奏、anan* 切り抜きの記事に紹介されていたとおり。さっそく、ベサメムーチョなんてリクエストして、一生懸命聴いているのは四人だけ。合間に、チップをギターの裏側に集めてまわり、二人でその場で二等分しているのを見ると、胸が痛む。といっても、それほど深刻なものではないが。他の客は食事に夢中で、きいてる人なんて、そういない。他に曲を知らなくて“マラゲーニア”と“アルハンブラの想い出”なんてリクエストしたら、アルハンブラはメモを取り出して、ギターの伴奏と、マンドリンのトレモロで、マンドリンが声をかけながら、時々ひっかかりながら、やってくれた。何となくもの悲しい。セビリア行は、又、朝寝のため、中止になったけどその分楽しめた。２２：２０発マドリへ。

＊ anan：an・an（アンアン）。1970 年 3 月創刊（現マガジンハウス社）の日本の雑誌。スペイン旅行の特集記事部分の切り抜きを誰かが持っていた。

１０／２０
アランフェス

アランフェスで一人途中下車＊。王宮へ。すぐ近く、かなり広い。とても美しい。市中心で

＊一人途中下車：この旅でひとりになったのはこの時だけ。

はないけど、王宮のまわりもとても美しい。タホ川の水の色が青緑色で、豊かで、紅葉した葉っぱが道に積もって、カメラを忘れたのが残念。とにかく美しいところ。１３：３０発列車でマドリへ。プラド美術館、土曜は無料ときいたのに、嘘ばっかり。急いでアランフェスから帰ったのに（50ペセタ）。

マドリッド

ゴヤ、裸のマヤ、巨人、ラス・カプリチョス、その他多数。ベラスケス、ラス・メニナス最高。カルロス王子、これも多数。ルーベンス、ヴァン・ダイク、ティッツアーノ。きちんとみたら時間かかるけど、一人ではないから、ポイントだけ。夕方、中国料理店へ。焼きめし、焼きそば、ワンタン、デザートで約１６０ペセタ。余りおいしくないものを、こちら式で。レストランを探している途中、１６年間日本を離れているという女の人にお世話になった。ものすごいお化粧で少しびっくりしたけど、どうしてこんなに親切にと思うくらい、とても親切におしえてもらった。

１０／２１

はじめて早起き、８：３０過ぎ、山根夫妻と会って６人でアトーチャ駅へ。セゴビア行きの時間を調べて（8:４５、2時間半)、タクシーで、のみの市へ。すごいすごい、出店も多いが人も多い。ほとんどが観光客。ゆっくり見る暇がない。通りから少し外れた所でリングを買う。他に客もなく、おじいさんひとりひっそりと。1個を取って“クワトロ？”スペイン語で返ってくるけど全くわからない。3個とって3個買うから安心してというと“シーシー”と。ボールペンを渡していくらかときくと、“70ペセタ”、やすいやすい。それからイヤリングなどをどうかという。耳に穴をあけていないというと、うなずいて、古ボタンのようなイヤリングを示しどうかという。ノン・グラシアス。だけど70ペセタを喜んでいるおじさんをみると、何となく何か買ってあげたくなって、飾りのついたピンを30ペセタで、これはかなり高いと思ったが買った。決して同情ではないが。
とてもよい天気。一週間待ったかいがあった、と思ったら大まちがい。2時になってもホテルにおじさんがいないし、別の人は知らないというので、皆で大騒ぎして、それでも仕方ないから待っていたら、3時前に帰って来て、トロスは中止だという。昨日、天気が悪くて、どこも前売りを中止したとは誰かが言っていたが、それにしても残念というしかない。皆、意気消沈して、一応お金は返してもらったものの、フラメンコを四人で行くのもいろいろ面倒だと、結局、又、頼んでチケット＊を買ってきてもらった。本当にいろいろお世話になって、それでもいい人か悪い人か、全く見当もつかなかったけれど、まあ、お人好しの人みたい。クリーニング代金、スカート、パンタロン（１５０ペセタ）、チップ５０ペセタ。おつりがなかったから、それにチケットのことでごちゃごちゃしたから、こっそりと。結局、記念写真など撮らされて、決着がつく。夜１０時、おじさんが起こしに来てくれた。見ると、スーツに真っ赤のタイとハンカチのお揃い。一緒について来てくれるのかと、勘ちがい＊してしまった。おかげで、通りに出たのが１０時過ぎ、なかなかタクシーがつかまらなくて、おまけにオリエンタルはダメだといわれ、仕方なくキャッシュで払うことにして、１０時半に間に合う。タクシーの運転手は、二重取りしたみたいだけど、約束だから、文句もいえず。タブラオ、マイヨール・プラッツのすぐ近く。せまい店で、せまい椅子にきっちり座らせられて、フラメンコを見る。横は日本人のグループ、手拍子、歌、ギター、踊りといい、すごい迫力で、すっかり圧倒される思い。ギター３人、踊り子３人、男性２人、サングリア。それから、A、B のグループに別れ、A は私たち４人と外国人で計９人。２軒目はナイトクラブ。シャンパンつき。二人の歌手の歌の合

＊チケット：フラメンコを見ることのできるタブラオを含む夜の観光のチケット。

＊勘ちがい：週末なので、彼もデートがあったのだろう。おじさんが余りにもおめかししていたので驚いた。

間にカスタネットの踊り。すごい上手なカスタネット。それと彼女と男のダンサーのデュエットと彼のソロ。タップダンスと同じ？　３軒目が一番豪華なナイトクラブ。ショウの合間はダンスも出来、その時歌っていた男の人の声がステキ。余り若い子はいなくて、しっとりと大人のムード。中年夫婦が感じよい。ショウは、多分、名のあるコメディアン（兼歌手？）、マーロンブランド＊の“ラストタンゴ・イン・パリ”と“ある愛の歌”と“ゴッドファーザー”とをミックスしたコント。全く言葉がわからないけど、笑ってしまった。それと“アメリカ、アメリカ”なかなかステキな声、物真似で、トムジョーンズともう一人、誰だったか。フラメンコとは全く関係なかったし、多分、パリのリド＊あたりでは、これをもっと大がかりにしたショウがあるんだろうけど、２時半まで眠気もやってこず楽しんだ。

＊マーロンブランド：アメリカの俳優（1924～2004）。彼の主演した『ラストタンゴ・イン・パリ』はこの年、わが国でも公開されて話題になっていた。

＊パリのリド：LIDO DE PARIS パリの有名なキャバレー。その数年前に職場の上司（女性）がヨーロッパに出張して、リドのショウの話をしていたのを思い出したのだと思う。

１０／２２

セゴビア行きが、予想通りお流れ。とても７時半には起きれっこないと思っていた。昼食をして、２時頃ホテルに帰り、おじさんとしばらくおしゃべり。ギターの弦を買う。アランフェス（２４０ペセタ）。カスタネットの値段をきいて安心（１１００ペセタ）。チャマルティン駅より２０：４５発バルセロナへ。コンパ―トの同室になったのが、おまわりさん。ここの男の人は、皆、とても老けて見える。ホテルのおじさんと呼んでいたら２５才。もう一人が１９才。このおじさんは３３才、４０～５０才にはみえる。髪がうすいけど独身で、フィアンセは教師とのこと。写真を見せてテレていた。

１０／２３
バルセロナ

８：００バルセロナ着。夜の予約をして街へ。ゴシックというのか古い建物にランタンがよく似合う。大寺院*のステンドグラスも美しい。トレドの大寺院と同じような造り。はじめてデパートらしきものがあったので入る。セーター、毛皮のコートなどたくさんあるけど値段も安くない。街角で焼いもを買う。3個で２５ペセタ。赤い色のやわらかいお芋で、とても甘くておいしかった。スペインまで来てこういうものを食べるなんて思ってもいなかったが、所々で売っているのを見かける。バルセロナの駅から海岸通りにかけて、広い通りには椰子の木が植えられていて、鹿児島の県木である海紅樹*が咲いて、まるで南国。日本人は駅で見かけた１～２人だけ。ゆっくりしてみたい所だけど、日程がつまっていて、残念。スペインでは

＊大寺院：バルセロナのゴシック建築の寺院。サンタ・クレウ・イ・サンタ・エウラリア大聖堂。ヨーロッパには歴史的な建築物が多い。よく、あれはゴシック（様式）、あれはバロック（様式）と二人で言いながら見てまわった。

＊海紅樹：鹿児島の県木だと彼女が教えてくれた。

女の人がかなりスカートをはいている。それもミニスカート。パンタロンの女の人は、皆、すごくお尻が大きい。髪が黒くて、そのためか日本人に親近感を持っているみたい。男の人は、フランスと同じ、皆愛想がよい。“ハポン、かばいい”とか“ボニータ”とか、ウィンクしたり、手を握ったり。最後のディナーでごちそうをと思っていたのに、夜行列車が１８：００発。レストランはどこも、早くても２０時からなので、サンドイッチとジュースを列車に持ち込んでスペインはおわり。

１０／２４
ジュネーブ／スイス

２１：５０ Cerbere* で出入国コントロール、乗り換え、7：４０ ジュネーブ着、かなり寒い。朝食、駅近くのティールームで。喫茶店。クロワッサンとミルクコーヒーで１．３フラン*(＋サービス料)。物価はかなり高い。時計なんか小さくてかわいいのがたくさん。レマン湖と英国公園へ。湖からの風が強い。花時計を探すけどない。きっと何もないのがそう？　オフシーズンだから？　大噴水も見れない、これも、オフシーズン？　ジュネーブ大学の宗教改革の彫刻を見る。そのあと、中華料理店で昼食。いつもの、ワンタンのスープと焼きそば、焼きめし。

＊ Cerbere:：セルベール。セルベールはフランス。フランスとスペインの国境。パスポートには「Portbou」の押印がある。記憶にはないが、当時、スペインからの出国手続はスペインのポルトボウで行われていたようだ。

＊フラン：スイスフラン。スイスの通貨。リヒテンシュタインと共通である。1スイスフラン＝100ラッペン（あるいはサンチーム）。スイスは EU に未加盟であり、スイスフランを現在まで独自通貨として使用している。

ワンタンスープにはシャンピニオンが入り、ちょっと西洋風だけど良い味。焼きそばは、スパゲッティのフライ（まるでカリン糖）と野菜炒めを皿に山盛りにしたもの。かたくり粉のとろみはもちろん、スープは全くなし。焼きめしは炒り卵の色がきれいで、ごはんが見かけによらず、ふんわりして、今まででは一番おいしかった。ゾウゲみたいな大きな重いハシで、大阪の彼女、おねだりして、１組もらって帰った。とても普通には使えないくらい重い。スープ(３．５０フラン)、チャーハン、ソバ（８．００フラン)、ジャスミンティーがおいしかった。“国際飯店”、１人１３．７５フラン。このくらい出すなら、もう少し出して、フォンデュなどのスイス料理が試してみたい。駅にもどる途中、偶然、花時計を見つけた。やっぱりあったのだ。さっきのは、まちがい。花というより小さな板。ちゃんと針も動いていて、時刻も合っているということ。駅の wash-room* で洗面と洗濯(５０ラッペン)。シャワーは２．２フランなので、明日のホテルまでがまん。１８：１５発でローマへ。

ジュネーブは、街そのものは美しくはないけど、レマン湖がとても美しい。白鳥とアヒル？が浮かんでいて、すごい、寒い強風が吹いてくる。時計や貴金属店がたくさんで、日本語のチラシなんか窓ガラスに貼り付けてあって、金持

＊ wash-room：Washroom は英語で「トイレ」とか「洗面所」を意味する語。「Washroom」という表示は、ここ（ジュネーブ）で見た記憶しかない。Washroom の中の各個室にトイレと洗面台、シャワーが設置されていて、スペースも広めで着替えなどもできるようになっていた。

ちの日本人歓迎という感じ。で、私たちは不愉快。今までで一番露骨な感じ。次はアムステルダムかしら？　セーターとかハンドバッグとか、とてもスペインなんか足元にも及ばないようなステキなものが、たくさん、ショーウインドウにあるけど、値段も高いたかい。といっても日本もかわらないくらい*。決してやすいということはないからおかしい。同じ一等でもコンパートメントじゃないし、シートがリクライニングじゃないし、乗っている人が降りてしまって、ゆっくりできるからいいけど、何となくおかしいと思って、“本当にローマに行くのかしら”なんて冗談いい合っていたら、車掌さんが来て“オー・ノー、この車両はこの先で切り離されスイスにとどまる”といわれ、はるかかなたの最前端の車両まで移動す。最初、車両番号を確認しなかったし、座席番号だけで座ったので起こりうるまちがいだった。それにしても、ユーレイルパスを見るだけで、予約の紙も見てくれなかったし、もう少し親切にしてくれてもいいのに、と思わなくもないけど、自分たちでもっと注意すべき。まあ、どこに行っても良いのは良いけど。予約した方は誰かが座っていたので空いているコンパートに入る。シートを出すと、4㎡くらいの広さになるので、四人で大きくなって休む。暖房がきいて気分が悪く

＊日本も変わらないくらい：物価をみるとき、当然ではあるが、日本の物の価格と比較してみていた。同じ品質でもっと安いものはないかと探していた。

なるほど。

１０／２５
ローマ／イタリア

８：００ローマ着。四人でコンパートを独占したものの、駅にとまるたびに乗客がのぞいていくので、多分真夜中頃まで熟睡できなかった。なのに、いつの間にか、私の手さげカバンがドロンと消えてしまった。さすが、イタリア。噂以上。スイスからイタリアに入った途端の出来事。たくさん空いているのに、入口に近い方の棚に上げていたのがまちがいだった。最初はあっけにとられ、あとでは笑いたくなった。不幸中の幸いは、キャッシュは全て、ハンドバッグの中に入れていたこと。これはバッグのヒモを腕にまきつけて、枕の下にバッグをおいていたので、難をのがれた（？）。こちらの方が盗られていたら、今頃は泣きべそ。カバンの中は必要最小限。でもカメラ、それとスペインで撮ったフイルム、アルハンブラ宮殿とその他で４０枚以上は撮っていたのに。それが一番残念！パンフレット、サングラス、フイルム１２枚取り、下着１組、ブラウス１枚、和英辞書１冊、化粧品、ハブラシ、ティッシュペーパー、くし、スイスで買った花の種。スカートと弦はスイスで預ける前に大きな方へ入れかえていたのでよかった。

日航*でペンションを紹介してもらう。とにかく注意しないといけない、と思い、さっそくストッキングにトラベラーズチェックとキャッシュを入れて、お腹の周囲にまきつけ、その上から洋服を着て外出する。他の人が早くから、そうしているのを見て、いやだったけど、こうすると何となく安心できるから不思議。それで、トレビの泉とスペイン広場へ。トレビの泉では、後ろを向いてコインを投げ入れた。私自身も、もちろん、皆、友人、知人、すべての人々のために！　スペイン階段はヒッピーのたまり場、兼、市場。日本語でせまって来る。けど、私は見るだけ。昼は近くのレストランで。野菜のスープ、きゅうり、じゃがいも、青い葉、にんじん、トマトの入った、何ともいえないおいしくないスープ。大きなマカロニのナポリタン（？）、これも似てるけど日本の味とまるでちがう。トマトにお米をつめたもの。すっぱくて、ベチャベチャして、お米にしん（芯？）があって、これも全く食べられず。マッシュルームのいため煮。一見、中国の搾菜風。香りもそっくりなのでそうかなと思ったくらい。でも、普通の味で、これだけまともに食べられた（５５０リラ*）。夕食は、前菜に彼女たちはスパゲッティ。量はかなり少なかったけど、やはり味が

＊日航：日本航空（JAL）ローマ支店？　この時の旅行では私たちは日航に全く貢献していない。まだ旅行者が少なかった時代だったからか、旅行中JALの各国支店に行けばホテルなどを紹介してもらえるときいていたので（旅行書にあった？）、私たちも大変お世話になった。

＊リラ：LIRA。イタリア通貨。1リラ＝100チェンテシミ（チェンテシモの複数形）。1999年にユーロに移行。

ちがって、おいしくなかったとのこと。私は、ハンバーガーとフライドポテト。一番、無難。おいしくなくても、食べられないことはないから（１３００リラ)。歯ブラシと歯ミガキを買う（８００リラ)。お金の桁が大きいので、いつもギョッとする。他の国ではすぐ慣れたのに、ここだけは反対だから。歯ブラシは、先がカクッと折れまがった形でとても使いやすい。奥からスミまできれいになる感じ。イタリア語はスペイン語に一番近い。容貌も、髪が黒っぽい人が多いし、目も黒いし、似ている。物価もかなりやすいものがあるし､路傍にいわゆる“物乞い”も時々、見かけるのもスペインとちがわない。かなり生活程度の差があるようだ。

１０／２６

　ホテルで朝食。ミルクコーヒーと、パンにバターとジャムだけ。コーヒーがいつもとちがった味でおいしかった。コーヒーがおいしいと思ったのは、はじめて。フロントの男の人にスパゲッティがいるかときかれ、大阪の彼女、“ウーノ”なんて答えて、まっていたら、からかわれただけ。こちらも男の人がとても陽気。いろいろ来る前、言われていたけど、それほどうるさい人には、会わない。道ですれちがった時、ほとんどの若い人は何かと声をかけてくる。チャオ！　それは日本人とはちがうところ。そしてニコッとして、それだけ。スペインの人とちょっと似ている。多分、かなり若い人が働いている。スペインでは小学生くらいの男の子がカウンターの中で仕事していたのを見たが（何人も）、それほどではないにしても、かなり早い年から、社会に出るようだ。余り身長がスラーとはしてないけど、がっちりして、瞳が黒くて、ととのった顔だちの男（の子？）を時々見かける。彼女に言わせると、パリよりは少しはまし、だと。朝、絵ハガキを出して、１４０リラ、５０リラはドイツ＊。市内観光。まずバス、はじめて二階バスにのる。イギリスでも乗らなかったのに。かなり高いし、バスの揺れもひどい。一階の階段の登り口に車掌さんがいて、切符を買って二階へあがる。もちろん停留所の案内なんてない。

＊ 50リラはドイツ：母宛の絵葉書に「ペンフレンドに帰りにまたゆっくり寄るように言われた」とあるので、帰りの予定を知らせたと思う。

バチカン市国

バチカン市国へ。ミケランジェロのドームと彫刻、天地創造、失楽園、最後の審判、サンピエトロ寺院、システィーナ礼拝堂の壁画。美術館。余りたくさんで、どれがどれかわからなかった。もう少し、来る前に、ミケランジェロをみておけばよかったと残念。昼食、バチカン市内の Paollo ？＊というレストランで食事。スパゲッティとチキン、フルーツで１９２５リラ。

＊ Paollo ？：ローマ教皇の名前のレストランか？当時のローマ教皇はパウロ6世（在位 1963 ～ 1978）

高いたかい。はじめて食べたスパゲッティ、フォークにまこうとすると切れてしまうほどやわらかい。トマトソースで、味はむしろ日本的。量が多くて半分だけ。チキンはもも肉、まわりの皮がすごくかたい。生ものは、イタリアでは、絶対さけようと思ったのに、それも無理、つい食べてしまう。

　ローマ市内は、ほとんどが崩れかけた遺跡、パンテオンの丘から見て、フォロロマーノ、コロッセオ、その他、雄大で、すばらしい。パリの整った美しさとは、対照的。夕食は、ピザ（１５０リラ）×２、コーラ、フルーツ（２００リラ）。ぶどう、バナナ。バス５０リラ、やすい。時間が欲しい。それに、もちろんお金も。あと２週間ちょっとで、旅も終わり。ギリシャを諦めた＊のが一番残念。だけど、ギリシャだけだったら、又、機会があるかも。帰ったら、又、がんばって、今度は、ギリシャと、スペイン。それに、出来たら、英国の北部と、フランスの田舎、地中海の沿岸、なんて言っていたら、又、二ヶ月では足りない。夕方、食料を買った時、彼女が５０００リラ札を１枚渡すと、レジの女の子が、別の男の人を呼んで、その人が又、別の人を呼んで、三人で、まるでニセ札を扱うみたいに、それを調べて、そしてやっと、おつりをくれた。古い紙幣で、セロテープで“ふせ”

＊ギリシャを諦めた：ギリシアは二人とも行ってみたい国のひとつであった。ペンフレンド宅にもう一度寄ることにしたので時間的に難しくなった。

がしてあったけど、それにしても、あれは普通ではない。ニセ札でも出回っているのかも？

１０／２７
ナポリ

９：３５テルミニ駅発ナポリへ。少々心配だけど、約2時間でナポリ着。町全体はうす汚い感じ。たくさんのガイドたちがプラットフォームにいる。最初は無視してやりすごしていたものの、インフォメーションの前で、つい、つかまってしまった。サイトシーング・バスといい、ポンペイが土曜日は午後3時で閉まるというので、つい気を許してしまったのだ。旅行案内所につれていかれ、そこでしばらく交渉して、結局、４０００リラのところ、３２５０リラで、４人、タクシーで、１２時より１７時までの契約。交渉係は、交渉だけでドライバーに交代。イタリアは、特にナポリは、町全体がグルになって、かよわき観光客をだましてるみたい。最初、カメオの店につれていかれ、工場を見せるなんていいながら、ほんのつけたし。店の方へつれて行き、国立の店、免税、外貨 OK なんていいながら。大阪の彼女、２００００リラのカメオのネックレス、イヤリング、リングの3点セットを１５０００リラで買う。ここでも日本語の単語をはなす店員、お世辞たっぷりで、いやらしくなる。4個で40000リラになるのだったら、皆、1個ずつ買ってもよいと思ったけど、そうはならなかった。ポンペイの遺跡、すばらしい。2時間近く歩いて見て、空腹のため、急いで出たけど、ゆっくり見ようとするなら、もっと時間がかかるし、価値もある。宮殿（？）と円形劇場（闘技場）跡*が最高。あと、貴族、金持の屋敷跡とか、庭とかいい。その後、つれていかれたレストラン。二種類のメニューを偶然見つけ、それでなくてもおかしいと思っていたから、ドライバーに“私たちは貧しい学生で、リラを持っていないから、食べないで帰る”と言ったら、あわててボスを呼んで来て、そこで一悶着あり、結局1600リラで、税、サービス料込みで、1800リラで手をうつ。すべて空腹のため。ずい分、不愉快な思いをする。この次、来た時には、絶対、ひっかからない。車を降りる時、ちょうど渡したら、チップを要求してきた。ふんだりけったり、という感じ。実に不愉快*。イタリアに限り、一人旅は心細い感じ。四人いてこれだから、それに英語だけは、絶対にしゃべれないと不利。今日のだって、もっともっと値切って、ノンの返事だって構わないけど、大阪の彼女たちも、余り、しつこいのは好きでないようだし、何となく後悔したくなるような結果になった。交渉係として

＊円形劇場（闘技場）跡：「チップス先生さようなら（1969年のミュージカル映画）」を観て、ポンペイ遺跡はアルハンブラ宮殿に次いで行ってみたい場所だった。大好きなピーター・オトゥールのチップス先生と歌手のキャサリン（ペトラ・クラーク）が再会したシーンは円形劇場跡だったと思う。その日、広いポンペイ遺跡は人影もまばらで、四人で周ったけれど何だか寂しい、治安が心配になるような雰囲気の場所であった。

＊実に不愉快：イタリアは楽しい国であったが、ナポリに関しては一番気を抜けない観光地であった。遺跡以外にも見るべきものがあったと思うのに、急いでローマにもどった。何だかトレビの泉に投げ入れたコインに呼び戻された気がして、これでもうローマに来ることはないだろうなと思った。それにしても私の怒り具合がおかしい。言葉の問題ではない。今の私たちだったら、負けずに？上手に対応できると思う。

は、反省すべき？　夜１１時過ぎの夜行のつもりが、１分でも早くナポリを去りたくなり、駅についてすぐにあった１６：１５発でローマへ。時間が中途半端でどうしようもないので、ホテル（RANIERI)、昨日と同じをとる。受付の男の子、大声で笑っておかしがる。帰り、コンパートメントで一緒になった二人の男性は、話好きで、二時間ちょっと、話し続けだった。こちらがわかろうが、わかるまいが、ベラベラ構わずしゃべり､笑い､大変にぎやかナポリ人。もう一人のオーストラリア人*は、それにしては下手な英語で、彼女のカメオを見て、高い、９０００リラが妥当といい、そのくせ日本では５００００リラくらいで売れるという。イタリアの兵隊だか、おまわりさんだかが、かなりの人数、乗って来た人が、かわるがわるコンパートの窓ガラスからのぞきに来る。

*オーストラリア人：オーストリア人だったのかも。

１０／２８
ピサ

　せまい部屋にシャワーつきでは落ちつかない。シングルだったら気にならないが。ここは、でも比較的安いペンションだと思う。イタリアはすごく汚い所ときいていたけど、こういう所もある。ナポリは、見るからに汚い。コレラはもう終わった*、なんてナポリの人が言っ

*コレラはもう終わった：10/26 に「生ものはイタリアでは絶対にさけようと思ったのに…」とあるので、少し前にコレラの流行があっていたのかもしれない。旅行の前には疱瘡とコレラの予防接種を受けていた。

ていたけど、他の病気だって、いろいろ起こって来そうな所。１０：２０テルミニ駅発でピサへ。予想以上に時間がかかって１４：０５ピサ着。まず、BARで昼食。日曜日で商店はオール休み、BARも開いている方が少ない。トーストと紅茶で４５０リラ。これもテーブルについてないのに、高い方の料金でとられて、イタリアはいやらしい所。もうひとつ抗議する気にもなれず、ぶつぶつ言ってすます。斜塔は歩いて１０分くらいの所。本当に斜塔。５００リラは高いと思いながら、中へ。上へずうーっと登るにつれて、平衡感覚がおかしくなって、ぼんやりしてると、転がり落ちそうな気がして恐いくらい。上まで登るとかなり高い。下の人が米粒くらいに見える。ドゥーオモ*と洗礼所を見て、外へ出、再び斜塔を見あげると、前以上に傾いているように見える。周りの芝生では、たくさんの人が写真を撮りあったり、日向ぼっこしたりしていた。よちよち歩きの子供が多い。犬と戯れたり、ボールをけって遊んだり、のびのびさせて親はじっと見ている。子供のかっこうは、大人のモードをそのまま小さくしたようなスタイルで、わざわざ子供用というデザインではないが、けっこう可愛い。ヨーロッパでは犬がたくさん。皆、ペットを持っている。列車やバスにも自由にのせられる、が、料金は払っているようだ。ローマ、

＊ドゥーオモ：duomoはイタリア語で「大聖堂」を意味する。斜塔は大聖堂ドゥオーモの付属鐘楼。

ナポリ間を、一等で約５００リラ。これは、昨日同じコンパートになったアメリカ人の場合。とてもかわいいプードルをつれていた。その他、ブルドッグもかなり多いし、プードル、テリア、コリー、ダックスフント、それに猫も。日本犬やシェパードは余り見ない。

１８：５０ピサ発でフィレンツェへ。１時間ちょっとで着。ピサで駅への道がわからなくなり、おまわりさんにきいたら彼の小さな車で、駅まで送ってくれた。フィレンツェまで来たものの、インフォメーションできくと、午前１時過ぎのスリーピング・カーしかない。ここに泊まるか、先へ行くか、考えたすえ、少しでも時間を節約するため、一応、ジュネーブまで１：２４で行くことにする。リラはほとんど残ってなかったので、必要最小限両替す。お腹の中にまいたドルを取り出すため、トイレを探す。英語の表示がないので、おまわりさんにきくと、つれて行ってくれた。男の人もいるのでびっくり（５０リラ）。こちらでは、必ず入口からレディとジェントルマンは別になっている。バルセロナでまちがえて、とうとう、使ったこともあったけど、あの時も地上に上がって見ると、ちょうど反対側にレディの入口があった。ローマからピサまでの海岸線はとても美しい。とてもよい天気で、日ざしがかなり強く、列車の中は上着をぬいでも暑いくらい。こんなに暖かかったら、水にも入れるみたい。眠くてたまらなかったけど外を見ていた。椰子の木とか南洋の島々に繁るような植物、まっ青な海、白い帆を浮かべたヨット、建物も、新しくてきれいだったし、この辺が、イタリアでは最もきれいな所かも。午前１時まで約４時間、こういうことは今まででははじめて。待合室がちゃんとしているから不安はないが、駅で遅くまで列車を待つのは好きでないので、出来るだけさけて来た。四人もいると、日本語をずーっとしゃべるので、こちらの人と話すのが億劫になる。予約でも何でも、単語を抜き書きして、用を足すのは何となくもったいない感じ。時間が経たないで困る。一等の待合室は時々（といっても、ただ一度だけど）チケットを確かめに来る。それで、出て行った人も少なくない。トイレに出て行った大阪組が、スパゲッティのあるお店を見つけてきた。２５０リラでミートソースというので、交代で､彼女と二人､行ってみた。ながくいると、悪いことばかりでもない、と、思って行ったものの、残念ながら、ほとんど食べることが出来なかった。フォークがとても重かったし、麺のゆで方が、少々固く、どうしても、フォークにまきつけることは勿論、ひっかけて口まで持って来ることが出来ず、数分でたいらげてしまった彼女を見て、余計、あせったため、残念ながらギブ・アップす。ミートソースと言ってもトマトソースとのミックスみたいなもので、今まで食べたうちでは、全くくせのない味だった。ゆで方も、固めで、口に入った分はおいしかったが、カウンターの椅子が高く、丸いので、すべり落ちそうで気になったし、バッグを持っていたのでスプーンがうまく使えなかったりと、悪条件が重なったため、と、これは言い訳。日本にいるときから余りうまくなかった。

昨夜、ホテルの近くのBARで食事をした時、日本の梅酒と同じものがあった。でも青梅ではなくて、色をつけたのか、赤い梅。酒そのものには色はついてないみたいだったけど。ドイツで梅酒の説明がなかなかできなかった。紅茶に氷砂糖みたいなものを入れるので、日本にもそういうのがある、ということから、梅酒なんてもち出したわけだが---。こちらでBARとかSNACKというのは、もちろんお酒は一通りあるが、日本のように時間をかけて、酒を飲むのではなく、どれも、立ち飲み、立食いで、すごくあっさりしている。立ったまま、一杯、キューッとやって、さっと帰るという感じ。そこで、私たちは、サンドイッチを食べて、コーラや紅茶を飲むわけ。スペイン、イタリアは、他の国ではよくあった、セルフサービスの店というのが、見当たらない。ずい分あれは、気楽だった。お金を最初に払うから、チップやサービス料の心配をしなくてよいし、好きなものが選べるから。その代わり、こういうカウンター形式が多い。イタリア人は、セルフサービスなんて、これからもする気はないだろう。料金は必ず二重価格だし。それにしても、日本でいう、バーやキャバレーはどこにあるのだろう。

１０／２９
ジュネーブ／スイス

１：２４乗車。「寝台車だけ」と言ったのに客車もあり、一等の空席に二人ずつもぐりこむ。座れない人もかなりいたようだ。せっかく両替したけど、使わなくてすんだ。１２：１２ジュネーブ着。彼女たちが両替に行ってる間、一人でwash-roomで洗面していると、外からおばさん*が呼ぶ。ドアを開けると、若い男がいて英語で“ホンコンから来たのか、あのグループの仲間か”みたいなことを言う。“今、イタリアから来た。ホンコンは知らない”なんて答えながら、誰だろうと思っていると、彼女たち三人がやって来た。最初、彼女たちもきかれたのかと思ったら、全然、別で、このグループのメンバーだと言うと、“まちがいだ。すまない”と言って、去って行った。麻薬かなんかの密輸

＊おばさん：ヨーロッパでは、女性用トイレの入口に必ず、女性（みんな高齢に見えた）がいた。そこに少額のお金（チップ）を置くお皿などが置かれていた。当時はチップを置くトイレを有料と思っていた。このwash-roonは使用料金が決められていたようであるから有料トイレであったのだろう。そこにいた女性。

グループがあって、そのメンバーの１人にまちがえられ、秘密警察の彼が、つけて来たのか、なんて、空想してたら、“気いつけなあかん。貴女をつれて行こう＊としたんよ。トイレの中まで入って来て。おばさんだって騙そうと思えば簡単だし”と大阪の彼女に言われ、確かに、そう思えば思えないこともないので、恐くなった。荷物をとって、１３：４０発でインターラーケンへ。約２時間でベルン。１６：０６発インターラーケン行に乗りかえ。天気がよくて、景色がとても美しい。１７：１2インターラーケン・オスト（東）着。ホリデイチケット＊（二等、６３．５０フラン）を買い、１７：２８発登山電車＊でグリンデルワルドへ。

＊貴女をつれていこうと：「何してるんや！」と、男性と私を見るとすぐに、枚方の彼女が大声をあげて走って来てくれた（彼女に感謝！ 私は全く警戒心を持っていなかった）。彼女の勢いにおされたように、男性は立ち去って行ったので、そのときの記憶は薄れつつあった。しかし、後年、拉致被害者のことなどを知り、改めてあれは何だったのだろうと思うことがある。

＊ホリデイチケット：Holiday Ticket は、Swiss Transport System 発行。特定のエリア（この時はユングフラウヨッホ）への往復フリー乗車券に鉄道、バス、船舶の無料乗車券が５枚付加されていた。

＊登山電車：ベルナーオーバーラント鉄道。

グリンデルワルド

１８：１４着。すっかり日が暮れてしまっている。途中の景色の美しかったこと。山々の峰には白雪、湖の水の青さ、紅葉した高山植物。とてもお腹が空いて、スナックで、又、フランクフルト。ここはドイツ語圏内。何となくうれしい。昼間、ジュネーブで大きなのを１本食べて（２．４フラン）、うんざりしていたけど、他に何もないのでしかたなく。何だか知らないけど、茹でてるみたい。皮が、ぷつぷつ、手で食べる。中間色の黒パン。ほんの少し酸味があって、クラム（中味）がつまっていて、おいしい。

スイスはどこも清潔。立食でも、必ずきれいな絵入りの紙ナプキンがついて出てくる。明日に備えてビスケットを買ってユースへ向かう。途中、食料品店が閉じかけだったので、おじさんに“お願いします”と頼んで食料を買う。オレンジとスープ、スパゲッティ。自炊した方がずい分安くつくみたい。真っ暗になったけど、大阪の彼女たち、前に来たことがあったので、道に迷わずにすむ。約１５分、星がいっぱい。ずい分昔にこんな星空、見た記憶があるけど、不思議な気持。ユースは、靴をぬいで、皆、ハダシ。せまいながらも趣のある造り。明るければ、アイガー北壁が、まん前にそびえてるという。さっそくスパゲッティをつくる。電気コンロの使用方法がわからず、ずい分時間がかかって出来上がる。インスタントは、日本と余りちがわない味。日本茶を入れて、結構楽しんだけど、面倒くさい。今日はほとんど車中で過ごした。フィレンツェからジュネーブへ来る時、改札に来た車掌からパスポートの提示＊を求められた。今まではスムーズに来たものの、最近、日時＊の記入のしかたが気になりだしていたところ。９月１７日が使用始めで、ストックホルムで鉛筆で、９月１７日から１１月１７日と記入された。おかしいなと思って、しばらくすると、今度は１１月１７日を１６日とボールペン

＊パスポートの提示：パスポートは国境を越えるから提示を求められたのだろう。

＊日時：ユーレイルパスの使用期限。

で書き直され、それが、はっきりしないから、時々、念入りに見られることがあった。何だかイタリア語でぶつぶつ言っているのを、パスポートを出しただけで知らん顔していたら、彼女も、自分のをさし出したので、二人の、両方のユーレイルパスを見て、何となく納得したようだった。日本のように訂正印でもあればはっきりするのだろうけど。

10／30

ユースのバルコニーの正面にアイガーがそびえる。朝食はチョコレートと中間色パン、ジャムにバター、チーズ。朝みてもこじんまりした、感じのよいユース。9時に出て、途中アイガーをバックに写真を撮りながら行く。四方にずっと高い山々がそびえ、牧場には、牛が遊び、家々はこじんまりとかわいく、北欧よりも、もっと美しい。昨日の食料品店で、昼食を買い込み（13.75フラン)、袋に入れて持って行く。グリンデルワルドークライネ・シャイデックーユングフラウヨッホと順調に乗りついで*、3500m近くまで登る。グリンデルワルドから少し登ると雪があり、氷がはって、かなり寒い。氷の宮殿では氷点下2～3℃。展望台に登るのに、靴*がつるつるすべって、手すりを伝ってどうにか登った。道幅は少しはあ

＊順調に乗り継いで：ユングフラウ鉄道

＊靴：大阪の二人はリュックサックに登山靴とちゃんと準備ができていた。私たちの服装は、パンタロンにセーター、薄手のコート、踵の低い革靴にショルダーバッグ。基本的にこの服装で二か月間を過ごしたが、しかしスイス観光に関しては、こんな服装では寒いだけでなく危険な場合さえあった。

るものの、下手をすると、下まで転落しそう。９：５０発、１１：２１着。上では1時間３０分程いて、１２：５０に下りに乗る。反対側をまわって、クライネ・シャイデック－ラウターブルンネン－インターラーケン－スピッツ－ブリーク（１７：００）－ツェルマット（１９：００)。インターラーケンで、時間を調べて乗りかえる時、時間がなくて、動き出した列車に飛び乗る。階段を登り切った所で、列車が動き出し、一番前にいた大阪の彼女が飛び乗ったので、次に大阪の彼女、3番目に私が飛び乗ろうとしたら、かなりスピードが出ていたので、荷物ごとはねとばされそうになり、あきらめたら、彼女がさっとしがみつき、何とか乗ってしまった。一人残るかな、と思ったところで“ピピー”と笛がなり、列車が止まる。それから、あわてて飛びのり、ちょうど一等だったので、そのままスピッツまで。叱られるかなと思ったけど、見てたのはプラットフォームにいた駅員さん。改札に来た人は何も知らないようだった。他の列車のようにドアがついていたら、とても最初から乗れっこないが、ただ踏み台と手すりがついているだけ。思い出したら、何となくヒヤッとする。それにしても、性格のちがいが出ていておもしろい。彼女は乗らないとおいて行かれると必死だったという。私はちょうど二人残っていいと思ったのに。とにかく、乗り継ぎが多いけど、接続はすごく良い。待ち時間がないので、余計な時間をとらずに、さっさと行けるのがうれしい。車内はきれいだし、登山電車の方は暖房がききすぎていたけど、適当に暖かいし、外の景色は素晴らしいし。サングラスを失ったのが残念。すばらしい天気で、陽射しがすごく強い。雪に反射して美しいけど、とても、まともに目を開けていられない。それに日焼け止めも、頬のしみが濃くなった。スイスの白チョコレートGALAK（ネッスル）１．４０フラン。ミルクをかためたみたいな味で、甘くておいしい。チョコレートは、だんぜん、英国がやすい*。スイスはチョコに限らず、物価は高い。チョコ、同じような大きさで、英国では６０～７０円、他の国では１００円以上。スイスはミルクがおいしいみたい。駅にはしぼりたてのミルクの瓶が、運ばれるのを待っているし、紅茶にもコーヒーにも、ミルク（クリーム？）が小さな容器に入って添えられる。チョコレートはしばらく飲まずに置いておくと、表面にクリームの膜が出来るし、チーズもやわらかいのがおいしい。彼女たちが好きでないので、買えないが。

１７：００過ぎにブリークについて、１７：０５の登山電車に乗りかえ。駅の前に出ないと

＊英国がやすい：一番のお気に入りは「アフターエイト」。1962年に英国で誕生したミントチョコレート。ミントのチョコが珍しかったが、何よりダークグリーンの箱に"After Eight"というネーミングがとてもお洒落に思えた。

いけないので、又、走る。チケット（１０日間有効、往復１３フラン）を買う時間がなく、そのまま、４０分位という予想が大いにはずれて（旅行書のミスプリント？）、２時間かかってツェルマットへ。食料は昼に食べ尽くしていたので、又、空腹。いらいらしながら四人、一車両に取り残されたまま、ツェルマットへ。

ツェルマット

ユースはオフシーズンということで、まず、駅のビュッフェで空腹を満たす。ポタージュにサラダ。なかなかおいしいものに出会わないから貧乏旅行は悲しい、そしておもしろいのかも。とにかく味が濃いからたくさん食べられない。飲みものといえば、いつもコーラばかり。メニューだって、英語だったら何とか選べそうだけど。思い通り選んでたら破産ものだし、チームワークがみだれるし…？

８時すぎて、ホテルを探そうと、はりきっていたら、インフォメーションは午後６時まで、当てにはしていなかったけど。最初の通りを入った所で、ちょうどネオンが目に入る。上をみると二階がすごくきれいなので、ここは高いだろうな、なんて話していたら、後ろから、数人連れの外国人の中の、背の高い男の人から声をかけられた。彼女たちは、てっきりホテルの客引き、と思いちがいをしたらしく、彼がホテルのフロントで交渉して見つけてくれた四人部屋を、２２フランを２０フランというのを、もっとやすく出来ないか、なんて、つたない英語で切り出すと、彼は困ったように、「自分はホテルの者ではない、マウンテン・マンだ。日本に友人がいる、"いとう　しょういち*"。彼も山男、一緒にヘリコプターで山の写真を撮ってまわったことがある。自分はお金は貰っていない。ただ日本の友だちの手助けをしたいだけだ」と言われ、皆、納得。決める。何しろ最初の予定は、ツインで３０フラン。シーズンは一人３５フランになるというこの部屋は、ベッドが４つあり、バス、トイレ、朝食つきで、オフの今、２２フラン。新しくて、朝、７時頃の日の出には、マッターホルンがバルコニーから見えると、このマウンテン・マンの話。スキーでは家族や友人のグループが多いせいか、シングル、ツインとは余り言わないみたい。一人いくら、というのが多いみたい。日本人の登山者が多いせいで、この辺りは親日的だという。インターラーケンの登山列車でも、英語、独語、フランス語についで、日本語のアナウンスがあったのに驚かされたし、落書きもほとんどが日本語で、これは、はしたない。素晴らしい景色ばかり見て、今日が３０日*のこと、忘れていた。コンクール予選、どんなだったかしら。Good

＊いとう　しょういち：伊藤正一氏（1923～2016）のことと思われる。平成28年に逝去されており、残念なことにご本人に直接確認し、お礼を申し上げることは出来なかったが、1965年から82年までの間にヨーロッパアルプスを撮影されて、『ヨーロッパアルプス　白き峰々』という山岳写真集を83年に出版しておられるので間違いないと思われる。こういう方のおかげもあって、旅行が出来たことを深く感謝している。ご著書の『定本・黒部の山賊』（山と渓谷社）を拝読して凄い方だと思った。

＊今日が30日：当時、北九州市のギター教室に通っていた。その関係のギターコンクールが毎年ひらかれており、この年はこの日が予選の日であった。

luck!

予想　◎もろさん、 ふじせさん、
　　　○ふじよしさん、 あべさん

10／31

　10月最後の日、あと10日と少し。ホテルはシャワー、バスが余り使われてないせいか、よくなかったけど、まあ、快適な夜だった。7時前より彼女たちが起きて、カメラをかまえている。はじめ曇ってて天気が悪いのかと思っていたら、まだ、日が出てなかったためで、それから徐々に、マッターホルンの頂が、ホテルから見て、左側の面から、光に照らされて、美しく光り出した。まばらに雪があり、岩のグレーとまだらになって、右側の面は暗く、そそり立つ頂の姿は、とても美しい。ホテルの裏は大きな山で、ほんの頂上の部分しか見ることができないけれど、ずい分、近くにあるみたい。パンと紅茶の朝食をすませ、10時少し前にホテルを出る。バターがとてもおいしい。スーパーで食料品を買い、肉屋でハムを買って登山電車に乗る。駅前に乗場*がある。ゴルナーグラートまで往復、ホリディ・チケットがきき（半額12.5フラン)、10：30発、約50分で、ゴルナーグラート。昨日と同じように良い天気。雲一つなく、まっ青な空、雪も比較的少な

＊駅前に乗場：ゴルナーグラート鉄道

く、思っていたより暖かい。マッターホルンをその代表として、他の山々も、するどい頂を持っているけれど、やはりかなわない。モンテローザは対照的にやさしい曲線をしている。ユングフラウヨッホからのながめの方が、はるかに迫力があったけれども、マッターホルンの姿は本当に美しい。ゴルナー氷河までの一部分（あるいは全部）は、簡単にハイキングできそう。私たちは時間があったから、歩いて降りてみたい気がしたが。約１時間、上で過ごす。雪がさらさらしていて、足でけると、フワーッと吹き飛ぶ。少し、固まっているせいもあるけれど、もともとが、日本の雪みたいに水っぽくないようだ。岩に氷がはりついて、暖かくて、溶けはじめた所で、すべって手をついてしまった。コート、クリーニングしたばかりなので、一瞬かばったら、手をすりむいてしまった（約３０００m以上）。下へ降りて、町を散歩。と言っても駅前からの、メイン・ストリート。１０分もあれば、はしからはしまで行ってしまえる。お土産の店で大阪の彼女、コートを買う（１２８フラン→７１フラン）。ディスカウントセール中。暖かそう。モスクワでは重宝するだろう。こちらもかなり物価が高い。この小さな町で、ホテルが７０軒あるという。その他は、お土産の店（大きいのは４～５店）、スーパー又は食料品

＊万博：1970年に大阪で開催された日本万国博覧会（大阪万博）

の店、肉屋さんは3軒以上。学校、美容院、床屋さん、映画館１軒。自動車はダメで、万博＊の中を走っていた電気自動車みたいなものか、ほんとに小さな三輪車か、１頭立ての馬車がタクシーがわり。本当に気持のゆったり出来る所。時計のついた塔をもつ教会。カトリックの教会で、土産店が昼休みの間、しばらく中で休んだ。ステンドグラスがこじんまりと、美しい教会だった。暇つぶしに讃美歌をうつしかけたけど、何だか、おかしな気がして中止す。私たちも、ベルンまで行くつもりだったけど、登山電車で会った日本人が､やすいペンション（１０フラン）をおしえてくれたので、もう１泊することにする。５人で行って２人泊まるというと、部屋をくれただけで、若い女の人だったけど、又、すぐいなくなって、宿帳も何もなし。窓からマッターホルンがよく見える。どこのホテルも、必ずバルコニーがあって、同じようにマッターホルンが見えるように出来ている。街のどの場所にいても、必ず、見える。ここは標高１６１６ｍあるというが、ペンションまで数十メートルの割合急な坂道を、ゆっくり登っただけでも、息切れがする。山が高いせいか、昼過ぎて太陽が隠れると、街全体が雲をかぶったように､暗くなってくる。6時になればもうまっ暗。マッターホルンの姿は、この時が一番迫力がある。今晩はそれに、三日月が左側に出て。
“マッターホルンに月は似合わない”とは、夕食を一緒に作って食べた千葉のひとり旅の女性の言葉。このペンションは新しいのに、やはりオフシーズン。ちゃんと、自炊出来るようになっており、冷蔵庫も備わっている。外国人の女の子のグループ、夕食の準備かと思ったら、“バーイ”なんて、お弁当つくって、リュックをからって、夕方、帰ってしまった。私たち二人だけ。三人でゆっくり夕食をした。インスタントミソ汁に、ポタージュ、ハムエッグにフランクフルト、パン、日本茶。お米もあるけど、余り欲しくない。野菜はかなり高いので、がまんする。バターやヨーグルトがおいしいので、チーズもおいしいと思うけど、皆、余り好きでない。その彼女の話。いろいろと、安くヨーロッパを往復する方法があるそうだ。私たちは、LOOKだけしか知らなかったが、他に調べてみることもしなかったが、でも、7万－9万－11万くらいで来てる人が多い。ナホトカコース＊は、個人できても11万ちょっとという。それに、大きな旅行社より小さな旅行社の方が、何かと親切というか、サービスがいいという。そう言われてみると、私たちは旅行社の人の顔も知らない。

＊ナホトカコース：
1ドル＝360円の時代に最も安く欧州に渡ることの出来るルートであった。1961年に横浜、ナホトカ間に定期航路が開設されて、横浜からナホトカまで船、ナホトカからハバロウスクまでシベリア鉄道、ハバロウスクからモスクワまで空路、モスクワから欧州の都市まで鉄道か空路でいくルート。その後、為替レートが変動相場制に移行、円高が進んだことなどもあり航空機でも安く欧州に渡れるようになった。1992年にナホトカ航路は廃止される。

１１／１

＊8：30起床：
初めて羽根布団に寝た。外国の小説などで羽根布団というものがあることは知っていたが。小さなベッドにあった真っ白の四角いクッションのようなものを持つと、軽くてふわふわ。それはかけ布団の大きさに広がり、中の羽根をその広さにバラシて使用した。

８：３０起床*。すっかり日が昇って、よい天気。昨日のホテルより、こちらの方がマッターホルンがよく見える。スープを作って、朝食。誰も他にいないので静か。三階に、ここの主人たちがいるはずなのに、ちっとも顔をみせない。彼女がチェックアウトに行くと、小さな子供が出て来て、“ママはおねんね”と、ジェスチャーで示し、お金を受けとって、部屋にもどったという。宿帳も何もないので、このまま下へ降りていけば、払わずに出ていけるのに、ここの人は、全く無防備というか、人を信じ切っているというか。それだけに信頼を裏切ることはできない。人情、心理の逆をついてるみたい。下りの電車で、やはり、前に払ったのは往復だった。私は、出来るだけ、チケットや、パンフレットの類を捨てずに取っていたからよかったものの、彼女はレシートだと思って捨ててしまったという。車掌さんも、ものわかりが悪いと思ったら英語が通じなかったせいで、会話の本のフランス語の方を見せたら、納得して OK してくれた。本当に、ただの、レシート。ホリディチケットに何か書いてたから、それで良いとばかり思っていた。急行だとかなり速い。

ベルン

１０：４５発急行で、約１時間３０分でブ

リーク。１２:３７発ベルンへ、１４:１７着。陽ざしがとても強く、窓のブラインドをおろさないと耐えられないほどだったのに、山の陰になっている地面は、霜？がとけずにまっ白。ベルンの駅前も工事中。すぐ前のデパートでは日本（商品）ウィーク。日航協賛で、着物姿の、スチュワーデス？ 女性がサービスしている。それにしても、おかしなウィンドウ、着物姿のマネキンのおかしな格好。こちらの人に受けるようにしているつもりかも知れないが、それにしても、日本人が企画しているのだったら、ああいうおかしな格好は、させたくないはず！
ベルンのユースはすぐわかる。駅から歩いて１０分足らず。１７時より受付。午後3時に着いたので、市内を一まわり。郵便局まで行って、絵ハガキを投函す。自動販売機は、コインがない時には本当に不便。夕食はユースで、3.８０フランで、お腹いっぱい。小さなトンカツに、ポテト、紫色のキャベツ風野菜、ビーンズにカレーソースかけ野菜サラダ、ポタージュ、中間色パン。グリンデルワルドに比べて、ずい分ビッグなユース。手さげバッグ（２２.５０フラン）を買う。ユースへ来る途中、二人も同じ手さげを下げている人にあう。

１１／２

今朝は曇り。よかった、1日ちがい。朝食(２.５０フラン)、紅茶、パン、バター、ジャム。パンにバターがとてもおいしい。久しぶりに(はじめて？) イチゴジャム。たしかにおいしいけれど、パンにつけて食べるのは、好きじゃない。列車で、ユースで一緒だった日本人と一緒になる。コック＊とバーテンさんの二人連れ。昨日の女の子もおかし作りをしている人。そういう人が多い＊。

＊コック：私たちが福岡からと知って、福岡市のレストラン「ロイヤル」草創期のコックさんのお一人と友人だと話してくれた。

＊そういう人が多い：そういう人の中から、後年、有名シェフやパティシエが生まれているかも。

ジュネーブ

彼らは、コースを変えてジュネーブへ。昼食を一緒にする。ポークチョップにポテトサラダと一番やすい赤ワイン。ドライでおいしくなかった（8.5フラン)。

いろいろ人の話をきくのは楽しい。が、共通して、皆、オーバー、自意識過剰。一人よがり。自分だけ、いい旅していると思っている。それに、長い人は皆、少し感覚がおかしくなっている？　一人旅の女性はおしゃべり＊。私も同じ？

＊おしゃべり：「ひとり旅をしている時に日本人と会うと日本語でいっぱいおしゃべりしたくなる気持や、長期間外国にいることで生活感覚がかわってくること」などが、私には全くわかっていなかったようだ。

今日は、ベルンからずーっと、曇りというか、霧。窓からの景色がほとんど見えず、ローザンヌでレマン湖にも、彼らは気づかない。うっかりしていたけど、スイスのユースは、どこも大体、清潔で設備も整っているけれど、年齢制限がある。２５才以下。しかし、余り関係ないみたい。何も言われなかったし、結構泊まっているし、中には、子連れもいて、全く平気。

チューリヒ

今日も９時４０分から夕方５時まで、昼食時間約２時間とって、その他は列車の中、まるで勤めてるみたいに。夕方５時ともなればもううす暗く、市電１０番にのって mongentage* で下車（７番も可）。教えられた通りのはずが、ユースの標示の見誤りでちがう方向へ。昨日と同じまちがい。通りの反対側から見た場合、斜めを示す標示は、よく気をつけないと。今日は、気をつけたはずなのに、まちがう。老婦人が親切に、通り道だったのか、ユースの前までつれて来て下さった。若い人は英語を話すけど、年寄りはフランス語かイタリア語しか話せない、と言われ、チューリヒは、確かドイツ語圏内と思っていたけど、ほとんどしゃべらずに歩く。ユースの前で、フランスとかドイツのなまりの英語で、チューリヒのあとはどこに行くかとたずねられたので、ドイッチュラントと言うと、何だかうれしそうな表情をしたので、ドイツに友人がいる、と拙いドイツ語で言うと、ますます喜んで、おまけに、ドイツ語が出来ると思われて、ドイツ語でいろいろ話しかけてこられた。ドイツ語は話せないと、あわてて言って、やっと、納得。彼女は英語が出来ないことを、又、ひと

＊ mongentage：正確には Morgental。スペル間違い。

しきり残念がって、握手して、“アウフ・ヴィーダー・ゼーエン”で別れる。ユースはすごいビッグ。3階（ということは4階）の最初の2人。トイレもシャワーも、昨日とちがってずい分、リッパ。洗たくも、洗髪も思うまま、という感じ。但し、シーツは*、皆、ここのユースのものを使用させられる。宿泊料ともに7.50フラン。夕食、コンソメスープ、ハムのベーコン巻に酢キャベツ、トマトのつけ合わせ、野菜サラダ、ミルク、パンで4.50フラン。今日は、生野菜のとりすぎと、おいしいミルクで、お腹がおかしくなりそう。昼、夜とちゃんと食べると1000円なんて、軽くオーバー。今日の人は1日1500円なんて言ってたっけ。はじめのうちこそ、ユースで人に会うたび“ハーイ”なんて声、かけられると一生懸命しゃべってみたけど、最近は面倒くさくなった。四人グループになって、日本語でまわったクセがついて、本当に、ものをたずねる時しか言葉が出なくなった。最初はそういうことにすごく、アセリを感じたけれど、今はもう、諦めたというか、無駄な抵抗をやめたというか。1人旅ではないし、自分の好きなようには出来なかったが、はじめにしては、これくらいでいい方かも。とにかく、帰国してから、英語を始めること！

＊シーツは：ユースホステルに宿泊するために規定のシーツを準備して行った。ユースではシーツ代は宿泊費と別になっていたので、節約のため。ここは例外的に宿泊者全員、ユースのシーツを使わなくてはならなかった。

１１／３

暖かくて、ゆっくりやすめたと思ったら、朝7時から怒鳴るようなアナウンスと、騒々しいミュージック。それが、ユースを出るまで続いていた。シーツを返して、パスポートを受取って、朝食。昨日と同じで2フラン。コーヒーはスープ椀に、とても全部飲めたものではない。ひょっと見ると、ツェルマットで一緒になった、千葉の彼女が。パンとコンソメスープで朝食中。何もちゃんとユースの朝食をしなくても、自分でした方が安くあがるみたい。売店には、フルーツやパンやケーキ、その他、いろいろ置いている所が多いから、皆、経済的に考えてやっているみたい。

ファドーツ／リヒテンシュタイン

１０：１４発ザルガンスのりかえブッフス１１：３６到着、郵便バスにのって、リヒテンシュタインのファドゥーツへ、約２０分。山の上に宮殿*（多分）があって、ステキなかわいい教会*があるだけの小さな国。皆、ドイツ語を話している。絵ハガキ2枚を出して、又、バスで山を下る。１６時すぎ、チューリヒ着。

＊宮殿：Vaduz 城

＊教会：聖フローリン大聖堂

チューリヒ

予約でしばらく時間がかかる。列車は1本しかなくて、（もう1本は7時発、ユースは7時よりチェックアウト）、迷うはずはないのだけど、寝台というとお金がかかるし、寝台しかないし、で、ずい分気を遣う。余分なエネルギーを消耗する。土曜日の午後で、お店はどこも閉店後。時計と本を買わなくてはと、気があせる。昨日といい、今日といい、まるで、列車でドライブ。何処でも行けばいいというものではないのに。夕食、久しぶりに、セルフサービスの店で。コンソメ（１．１０フラン）味からいばかり、ソーセージ、ポテトのサラダ、煮豆、すっぱいばかり。まるでユースの夕食。冷たくて(３．５フラン)。普通の家庭でも、ああいう、ハムとかサラミとかを並べただけの、まるで、手を入れない食事なのかしら？＊　デザートのプディング(１．４フラン)、これだけ普通の味、“カラメルソース”という。

＊手を入れない食事なのかしら？：なぜだか私はとても機嫌が悪い。ドイツで聞いた冷食のことを忘れている！

列車を待っていると、酔っぱらいが話しかけてきて、彼女、困っていた。知らん顔してたけど、北欧では、いつも酔っぱらいがたくさんだった。スペインやイタリアとかでは、見かけなかったのに、生活水準が高いはずの、禁酒の歴史もある北欧や、スイスで多いというのは、おもしろい。時間を見に行ってる間に、彼女は男の人からお茶を誘われていた。ドイツ語で私が断った。２１：１３乗車。

１１／４
ゲッティンゲン

昨夜、寝台はガラ空き。予約は当日は受け付けないのか。２人で二等にベッドを取る。パスポートは車掌さんに預けっぱなしで、少々、心配した。途中で男の人が一番上の寝台へ。まさか日本人とも思わず、パスポートを返してもらった時、“電気をつけていいですか”と、何語できけばいいのかと思っていたら、“頭の上にライトがありますよ”と、言われ、びっくり。余り良くやすめなかった。朝６時に車掌さんにおこされ、ハノーファー着。7:０３発ゲッティンゲンへ。８：１６着くも、ノードイッチュマネーで両替所もないため再度、乗車。土曜、日曜をつい忘れてしまう。昨日は土曜、買い物が出来なかったし、今日は、両替所はハノーファーの駅でさえ１０時から。小銭が余っていたはずだけど、大きな方へ入れたままで来たし、TEL代の２０ペニッヒも、トイレ代もないので、列車の中が一番？　列車の二等で一緒になった人、ちがうと思っていたらトルコの人。出稼ぎに来ている労働者。ドイツ語が余り出来ないようだったが、話をすると家族の写真を取り出して、見せてくれた。今回も、時間を浪費しまいと、思いながら、つい、ばかばかしいことをやってしまう。8:１６にゲッティンゲンに着いて、

＊ Bebra：ベーブラ。ベーブラ - フルダ線のベーブラ駅。ドイツ分断時代にこの路線は西ドイツの南北線の一部としてドイツ連邦鉄道の一番重要な路線中の一つであったという。

＊駅だけは大きいものの、駅は小さく：意味不明。ベーブラ駅そのものを思い出せない。

それで、あとのこと（両替のことだけど）を、ゆっくり考えればいいものを、ユーレイルパスを持っているから、つい、“ぶしょう”して、次まで乗ってみたり。日曜日は列車の便数も、ずっと、少ないのに。Bebra*、駅だけは大きいものの、駅は小さく*、もちろん、両替所なんてあろうはずもない。9：５１カッセル行きへ乗りかえ、うまくいけばいいけど、１２時までに着けばもうけもの。ばかばかしい。それでもフランクフルトまで両替に行くというのだから。１１時少し前カッセル着。両替所は休み。予約窓口で５ドルかえてもらう。１１：１４発ゲッティンゲンへ、１２：３０着。電話をして迎えにきてもらう、彼女が赤のフォルクスワーゲンで。そしたらすぐ、友達のライナー氏がやって来て、５人で１週間前に結婚したばかりの、マンフレッド氏夫妻の家を訪問。結婚式のプレゼントを届けるためで、何か、カードにかいてあったのか、可愛いカレンが、笑っていた。彼女は設計家で、まるで小さな映画の画面ほどもある窓をつくり、眺めを楽しんでいた。山の紅葉がすっぽり入るほどの大きな窓で、余り、奇抜なので住む人がいない、と、売れっ子パン屋の大家さんにいわれ、彼女たち自身のスイートホームにしてしまったという。新夫（！）のマンフレッド氏は、一見、４０～５０才の中年に、はげ頭のせいで見えるが、いろんなサークル、集団のリーダーの指導者という。５人で近くの山を散歩して、紅茶をごちそうになって、マンフレッド氏が出張するのを見送り、帰る。夜行で失礼するつもりが、１晩泊めてもらうことになる。それから、彼女のリクエストで、彼は、写真の現像*。洋服かけと物おきとばかり思っていた所が、地下室につながり、彼はそこに入る。彼女は試験にパスして、今、教育の実習中だという。１年間、大学で教育学とフランス語を勉強し、その後は教師に。それに、多分、彼女の卒業と同時に、結婚式もあげることになる。彼が、来年といった。ここにくると、英語が、てんでダメになる。つくづく不勉強が悔やまれる。女医の数*とパーセンテージ（ドイツでは小児科医の５０％は女医だと）、その他。それに、日本のグラフ雑誌。夕食は、ポテトをすりつぶして、おだんご*（？）にしたもの。一見、おにぎり風で、ドキリとした。それに、肉とマッシュルームのソース。夕食後、１１時過ぎまでレコード。いろいろかけて*説明してくれるのに、彼女は眠くてたまらない。スペインのフラメンコのカスタネットが、ステキだった。たくさんのレコードの中には、日本でもよく知られているのや、好きなのもあったが、全く、好みというか、彼らの好きな曲というのは、私たち

＊写真の現像：彼の一番の趣味は写真。それまでに撮ってくれていた私たちの写真を現像してくれた。前回のビーチでの彼女の写真も、彼女をモデルにした作品として私たちに説明してくれていたのだろう。

＊女医の数：小児科医に限らず、わが国では女性医師の数はまだ非常に少なかった。彼はアメリカの医学に強く関心を持っているようだった。これから医学もアメリカになるんだなと思った記憶がある。

＊おだんご（？）：ジャガイモを使ったドイツの家庭料理。学生の彼女が、ボーイフレンドのペンフレンドのために暖かい食事を作ってくれた。

＊いろいろかけて：当時はステレオにLPレコード。曲の途中で頻繁にレコード盤を変えるので不思議に思っていた。私が余りに無表情に聴いているので、楽しめていないと思って、あんなに次々に変えてくれたのだと、今は思う。

のそれとはまるでちがう。それに、彼はいろいろ話しかけてくれるのに、うまく応答出来ない＊ために、クリスチーネは、少々、いらいらしたのでは？　彼の話しかたが悪いとクレームをつけ、そのため、それを説明するのに、かなり時間をかけて、でも、少し、わかりあえて、うれしい。とにかく、言葉を出さなくてはいけないと思う。今までの英語が全く役に立たなかったのは、トレーニングが足りないから。日本人がしゃべれないのは、そのベースがないから。外国人と同じように話そうと思えば、彼らの何倍も勉強しなければいけない。“彼女はほとんどしゃべれない。しかし、ゆっくり話してやれば、理解できる”と友人に言ってくれたのは、私のこと。今まで、何週間もかけて旅して出来なかったことも、一晩、家庭＊に入ってみれば、わかることがある。どこにでも行けばいいというものではない。

＊うまく応答出来ない：思いがけなくこういう旅になって、私自身は同行している彼女のことが気になっていた。彼は「あなたはどう思うのか、あなたはどうしたいか」と何度もきいてくれるのに、私はその都度、「彼女はどう思うだろう、彼女はどうしたいかしら」と思うと、すぐに返事が出来なかった。

＊家庭：無意識に「家庭」と書いている。確かに、私たちは若い二人の家庭に迎えていただいて、くつろいで過ごすことができた。

１１／５

１０時半に起こされて、朝食をして、１１：１８に乗車。これだと１９：２８にチューリヒに着ける。朝は特に別れの言葉もない。ただ、“グッド・バイ＊”。日本にあるような、普通のミカン（珍しい）２個とクッキーをもらって、列車に。久しぶりに天気が悪く、少し降ってい

＊グッド・バイ：この時もきちんとお礼を言うことが出来なかったと思う。彼のギムナジウム卒業と私の高校卒業が同時期で、彼には徴兵があるということで、そこで文通を終わりにしていた。長期間経っての突然の連絡にも関わらず温かく迎えて下さったお二人に、そして、ご実家宛に出した手紙をゲッティンゲンの彼にすぐに届けて下さったご家族に、改めて心からお礼を申し上げたい。

る所もあった。昨日、TEL代の２０ペニッヒ欲しさに両替した5ドル分の残り、バーゼルまでのこの列車の中で、いかに使い切るか。バーゼルで降りれば、使えないし、コインだと両替出来ないし。ところで、メモを見てビックリ。恵美子さんから何の連絡もないと思ったら、料金不足で出した分に入っている。シュツットガルトからも連絡がないし、諦めて、列車に乗ったのに。ついてないのかしら？　心配になる。列車の中では、どこも、昼の時間とか、お茶の時間になるとサンドイッチや飲物を売りにくる。外で買うよりかなり高いけど、たとえば、コーヒーとか紅茶だったら、紙のこともあるが、多くはプラスチックのコップと受皿、それにスプーンがついてくる。いつも捨てていたけど、やっと気づいた。これを捨てないで、自炊の時使ったら。自炊しなくても、いろんな物を、食べたり飲んだりするときに便利。どこで捨てても惜しくないし（紅茶１．４５マルク）。飲みものだけしか持ってないと思ってたら、ボーイさんが、押してきた車のひき出しから、サンドイッチ（黒パン、チーズ、サラミ、バター）を取り出し、ジャスト５．６マルク。使ってしまわないと大変と思っていたけど、もう飲物は買えなかった。２１：２０発のウィーン行き*-----------

＊ウィーン行き -----：--- 以下、ボールペンインク切れで文字不明

チューリヒ

ボールペン、持ってきた１本、使い切ってしまった。３本持ってきて、１本友だちへ、もう１本はバッグと共にイタリアのどこかに。夕食を一昨日のセルフの店で、二人で１０フランしか使えないので、３．８０フランの卵サラダを。これがおいしいと、側に来た男の人がおしえてくれた、が、飲物をとるお金がないので、卵がのどにつっかえた。食べ終わって急いで自動販売機へ。今日は、コップがあるので、1Lのコーラを買う（１．９０フラン）。３５０mlの缶入りが１．３０フラン（安くて）だから、ずい分経済的。栓はまわして開ける式だから、あと、又、することが出来る。それと、荷物預けがここはなぜか、１日分少なく払う。３日間預けて、２フラン。それで、又、１フランずつ余ったので、GALAKのチョコを。ちょうどよい、待ち時間だった。２１：２０、一等のコンパートメントへ。朝まで二人だけ、ゆっくりやすめた。

１１／６

ウィーン／オーストリア

８：４０、ウイーン着。曇っていたら、降り出した。又、先日の彼女に会って、今度は向こうからかけよって来た。JALでホテルを紹介してもらう（ペンション）。JALの日本人女性の愛想の悪いこと。その上、地図は間違った場所に印をつけて。本当に帰りもJALでなくてよかった。少々、疲れ気味、眠くてしばらく昼寝。スーパーで食料を買っただけで、洗髪をして絵ハガキを書く。チョコレート、見てみたら、メイド・イン・イングランド。ずい分、高く買ったなと、残念。とにかく、英国は物価がやすかった。外に出るのが面倒で、夕食は、スープを作ってもらう。チップ５シリング*。クノールのヌードル入り、日本で食べるのと同じ味。

＊シリング：schilling はオーストリアの通貨。1シリング=100グロッシェン。EU加盟して1999年にユーロを導入。

１１／7

８時半朝食。コンチネンタル式。パン、バター、ジャム、コーヒー、紅茶。二人が別の飲物を注文すると、両方飲めることになる。市電５８番でシェーンブルン宮へ。マリア・テレジアの宮殿。英語のガイドで（８シリング）、歴史を知っておかないと、どうして、ここで、ナポレオンや、ヒットラーが登場するのか、理解できない。かなり寒い。室内はどこも暖房が入っているので気づかなかったが、天気はよいのに、冷たい風が吹いて、とても私たちみたいな薄着だとじっとしてはおれない。宮殿の庭のベンチでは老人が日向ぼっこ*している。それと、孫を乳母車にのせたおばあちゃんも多い。きちんとコートを着て帽子をかぶって。そんな

＊老人が日向ぼっこ：シェーンブルン宮殿の庭園には現地の高齢者がたくさんいた。欧州各国は、わが国より一足先に高齢化社会になっていた。

小さな子でも、違いがわかるのか、私の顔を、じーっと、いつまでも見て通る。西駅のインフォメーションで安いペンションを紹介してもらう。エアターミナルに近い所は、1級ばかりしかないとのこと。かわりに、アッセン料なしで、166シリングの所、西駅のすぐ左側。とにかく、すぐわかる所。それで、前の所、2時に行って取り消す。チューリヒに行くことになった、なんて言って。その代わり、シャワー代（8.5シリング）、スープ代（5シリング）払う。それと若い女性は、日本人でなくても、愛想が悪いみたい。お昼前に行ったら、ずい分いやな顔をし、英語でべらべらまくしたてられた。本当に感じ悪い。そしたら、中年のおじさんが、あとを引き取って、ゆっくり話してくれ、紹介してくれたわけ。とにかくインフォメーションでも両替所でも道をたずねる時でも、中年以上のきちんとした身なりの人にたずねると、ずい分親切に丁寧に、おしえてくれる。そのかわり、今日の、シェーンブルン宮の庭の変態人や、荷物を持って来た時に、無理やり持ってくれた老人みたいな人もいる。ホテルのすぐ前で、荷物を持ってくれるというので、ここだから結構というのに、何だか無理やりの感じで、部屋まで持って来てくれ、私は、ここについでがあったのかと思うと、そうでもなく。お礼を言う時に、それなら握手かと思うと、顔を近づけてくる。"ノー"で逃げたけど、汚らしい。そう思えば、荷物、重い方でなく軽い方を持ってくれた。身なりも悪かった。夕方、マリアヒルファー通りをショッピング。もう、どこもクリスマスの飾りつけでいそがしい。電車は、１日の切符で、５０分以内だったら何度も乗換え出来るらしい（6シリング）。5時すぎにはもう月が出ていた。まっ暗。

１１／8

　シェーンブルン宮の裏の森の中には、自然の小リスや、小鳥がたくさんいる。ちっとも人をおそれないで、小リスはそばまでやって来て、何か欲しそうにする。あいにく何も持って来てなかったので、写真を撮ってやった。朝、１０時すぎまで。日暮は早いけど、朝はいつ日が昇るのか、知らないまま。よい天気。朝食は、昨日のパンとハム、バター、牛乳で、牛乳は日本の味とはまるでちがう。パンはひからびて、硬い、かたい。暖房のせい？　市電でリンクを一周するつもりが、ドナウ運河を渡ってしまった。寒くてどうしようもないので、近くのバッグ屋に入りメガネ入れを一つ買う。あと逆もどりで（この時は切符は無効だった）ホーフブルク宮へ。マリア・テレジアの像をカメラにおさめて、BABENBERGERSTRSSE* の小さな楽器

＊ BABENBERGERSTRSSE：通りの名前と思われるが、スペルが不正確で不明

店でギターの弦を買い、ホテルにひきあげる（７５．５シリング、９５．６０シリング）。よく見てびっくり、サファリの方はフランスで、まあ、いいけど、オーガスチンの方は、米国製。うっかりしていた。日本にもあると思いながら買ってしまったけれど、まさかUSAとは。昨日のメイド・イン・ホンコンといい、今まで、ずーっと注意していたにもかかわらず、うっかりしてしまった。ウィーンは、音楽の都と先入観があったから。ここは聴くための、音楽の都。オペラ座＊では今、"蝶々夫人"をやっている。みたいけど、今夜は友だちと約束があるし、明日は土曜だから多分ダメだろう。それに、彼女も興味ないし。おみやげについて言えば、いいなと、思った時、荷物が増えることを恐れずに、ためらわずに買うこと。イギリスから、ずーっと思いながらスペインまでと、がまんしたけど、結局、大してちがわないし、かえって、安いものさえあった。そして、こちらでやっと買ったら、メイド・イン・イングランドだったり、さっきのだったり、ずい分、ばかばかしいこと！

天気が悪い。昼から降り出して、それでなくてもどんよりした空がいっそう暗くなった。夕方６時に西駅で大阪の彼女たちと待合わせ。帰りの復路コース＊の案内書を読む。モスクワで２泊のつもりが１泊だけ。ベリョースカ＊に、

＊オペラ座：Wiener Staatsoper ウィーン国立歌劇場。ミラノスカラ座、ニューヨークのメトロポリタン歌劇場と並んで世界３大歌劇場と称されるオペラハウス。

＊復路コース：ウイーンから逆コースで横浜までのツアー

＊ベリョースカ：ベリョースカはロシア語で「白樺」の意味。かつてソ連に存在した、外交団向けの土産物・食料品を扱う国営スーパーマーケットの名称。1988年に閉鎖された。私は旅行者のための免税店だとばかり思っていた。

本当につれて行ってくれるのか、少々心配、といっても、モスクワで必ず宿泊させるのは、それが目的だからときく。とても寒く、リンクを半周して、あとホテルにとじこもったまま、6時に西駅へ。彼女たちは昨夜着き、どこに泊ったかと思うと、Zŏch。昨夜から同じところにいたわけ。彼女たちは、一応、チェックアウトして出て来てたけど、又、逆もどり。隣の部屋をもらう。その後で、別れてた間のこと、おしゃべりして、日本の古新聞をたくさん読ませてもらって。でも余り楽しいことも載っていない*。グラナダがひどい洪水で、たくさんの人が亡くなったとか。それも私たちがいた時から、降っていた雨がだんだんひどくなって、１９日に集中豪雨があったという。グラナダを去ったのは、確か、１８日か１９日。

それと、ポルノ。うすっぺらい本を2冊、持って来てた。ここは禁止国だったと思うけど、でも、余りきびしくない。ソ連と日本は、とても厳しいそうだから、どうやって持ち込むつもりか。でも、取り上げられないうちにと見せてもらう。すごい、なんてものじゃない。同じような写真だけれど、気分が悪くなる。ストックホルムで買って来たという。

＊余り楽しいことも載っていない：中東戦争の影響で日本では石油不足となり、石油製品であるトイレットペーパーや洗剤、砂糖などの不足が懸念される。さらには人々がパニックになって、トイレットペーパーの買い占めがすでに始まっているなど、どの新聞もそういう記事でいっぱいだった。

１１／９

朝のうちは、天気よさそうに見えたが、１０時すぎにホテルを出る頃には、いつものようにどんよりと雲って、昼から小雨になった。彼女らに、付き添って？ソ連領事館へ。枚方さんのソ連のビザの日付がまちがっていたので、それを書き直してもらうため。最初、モスクワに着いた時、JTB の人に頼んでおけばよかったんじゃないかと思うけど、彼女たちは簡単に考えていたらしい。パリの大使館で出来なくて、ここに来て、今日、領事館へ（月、水、金で１２時まで）。ドイツ語を話す人がほとんど＊で、英語を話す人は少ないみたい。しばらく待たされて、それでも、比較的簡単に訂正してくれた。多分、あの人が領事さん？

どこも見てまわる気もしなくて、オペラに行こうという話になり、オペラ座は無理で、Volksoper* という劇場をリザーブ。５０シリングでとても安いけど、後ろの方の席しか残ってなかった。彼女とふたり、淋しい。明日は早いから、チェックアウトをすませる。とても安いけど、シャワー代は別（３０シリング）。１８時半にホテルを出て、８番の市電で、Volksoper へ、約１０分。外観は白い建物で、オペラ座のようにりっぱ。でも、由緒ありそうでもないが、新しく、内部も美しい。オペラ

＊ドイツ語を話す人がほとんど：オーストリアの公用語はドイツ語。ヨーロッパでは国境と言語の使用範囲が必ずしも一致していないので戸惑いを感じたこともある。ドイツ語はドイツ、オーストリア、スイス、リヒテンシュタイン、ルクセンブルク、ベルギーと、多くの国で使用されていた。

＊ Volksoper：ウィーン・フォルクスオーパーは 1898 年「皇帝都市記念劇場（Kaiser-Jubiläums-Stadttheater）」として開館した由緒ある劇場。何度かの名称変更があり、1905 年に現在の名称になった。

と思ったらバレエ＊だった。世界の人形の踊りと、もう一つ。人形の踊りは、日本の舞妓さんみたいな踊りも、フラメンコも、いろいろ、懐かしい。もう一つが、いわゆるクラシックバレエ。とても美しかった。場所が悪かったけど、５０シリングでは、やすい。近くにいたこちらの学生たちが、とても話しかけたそうにする。よく見ると、子供ばかり。小学生くらいなのに、アイシャドーなんか青々と、中には、つけ睫もして、せいいっぱいおしゃれして来ている。オペラグラスをかしてくれて、見ると大きく見える。ここの劇場は、入口ではチケットを取らないで、席の近くの入口でチケットを切り取る。そのかわり、案内人はいない。オペラ座はダメだったけど、最後の夜にふさわしい観劇だったと思う。カーテンコールの花束も、ステキ、観客の拍手もはっきりしていて、好もしい。

＊バレエ：この日の演目は、チケットによるとBallett：Die Puppenfee/Hotel Sacher。Volksoperを日本語に訳せば「民衆歌劇場」といった意味。その名のようにオペレッタやミュージカルのような楽しくて親しみやすい演目がよく上演されている。

帰国――ウィーンから横浜へ

１１／１０

朝、7時すぎ起床。昨日の残りのパンで朝食。ウィーン空港集合は１０時３０分。少し時間をみて、8時半ホテルを出る。市電５２番からＧ？へのりかえて、エアターミナルへ。ヨーロッパの旅行書にのっているエアターミナルは、場所（地図）が間違っている。南駅の近くではなくて、市立公園からシュテファン寺院の方へ、そして、リンクを出た所。９：３０発の空港バスへ（２５シリング、荷物２シリング)。免税店で、オメガ*を買う。３万円以下のとなると、少ししかない。円はダメ*だというので両替。タバコとジョニ黒、米ドルで、彼女の計算によると、１ドルが２８０円位にはなるという。この免税店にはパスポートがないと入れないし、買う時には搭乗券を示さないといけない。１２時すぎに搭乗。男女ともに、ボディタッチ。思ったより厳しい。彼女たち、バレないか、ドキドキした。が、目的は凶器だろうから、少々はわからないみたい。アエロフロートの貸切機*で、１２：４０すぎ離陸。良い天気。雲の上を飛ぶ。約２時間１５分でモスクワ。時差２時間で、１７：２０到着。お腹をすかせて、機内食を待ち切れないくらいだった。それで、たくさん食べたら、着陸時に気分が悪くなって。初めての経験。お酒と食べ物には、少々自信があったのに、もう少しで嘔吐するところだった。

モスクワ／USSR

余りおいしくないと思う時には、欲ばって食べないこと！　それから８時まで、皆の税関検査が終わるまでかかった。すごく厳重。荷物を開けさせたら、すべて調べる。財布の中はもちろん。本の頁をめくり、おみやげの包みをと

＊オメガ：OMEGA 1965年、アメリカ航空宇宙局の公式腕時計となったことで世界に知られるブランドになっていた。当時、海外旅行のお土産としては、免税の酒、たばこ、香水や化粧品、腕時計などが定番であった。

＊円はダメ：当時から米ドルは欧州のほとんどの国のホテルや免税店などで使用できたが、円はほとんどできなかった。

＊アエロフロートの貸切機：オーストリア航空機

き、洗面道具をひろげさせ、１人３０分というのも、大げさでない。但し、ここも女には甘い。ウイーンのボディタッチは厳しかったけど、あれでも彼女のポルノは健在。ほとんどの女の子は、もっともグループということもあってか、フリーパス同然。最初の人と、途中の何人かと、終りの方の人、そして、特に、“ひげ”をのばした男の人、ヒッピーみたいな恰好の人には、厳しいみたい。調べられたあと、また、詰め込むのが一仕事。大阪の彼女のトレドの剣がまた、クレームをつけられた。結局、役人？同士、話し合って、返してくれたけど。明らかに装飾品なのに --- おかげで、他のことは、追及されず、焦点をぼかす効果があったみたい。そして、皆が集まったと思った時、２人足りない。一人は神戸の“旦那”。どうしたのかと思っていたら、税関で調べられたあと、出口の方へ来る途中、又、呼びとめられて、別の所へつれて行かれ、４～５人の検査官の前で、又、調べられ、いろいろきかれ、何もないことがわかり、タバコ１本もらって帰って来た。もう一人も同じような目にあっていた。でも結局、このグループ４１人＊の中からは、何も見つけ出されなかった。シェレメーチョヴォ空港よりウクライナホテルまで約４５分。１５階の１６号室、とても大きく、部屋も、前の時よりいい。夕食、ホテ

＊41人：11/11の搭乗者数では42人となっている。ツアーの人数を意識したのはその2回だけで、どちらが正しかったかわからないので、そのままにしている。

ルで、食欲余りなし。といっても、ほとんど食べたけど。彼女、リンゴジュースを飲んで、酔っ払って大さわぎ*。どうして？と、全く不思議だけれど、感じない私にしてみれば、ヒステリーとしか思えない。２時間、今日は短いので、気がついたら夜１０時、すぐ１２時になってしまった。それにしても、空の上で太陽が、雲海の彼方へ沈むのは美しかった。ハバロフスクからモスクワへの時は、太陽と共に飛ぶので、どこまで行っても、明るかったが、今日は、太陽とスレちがい。海の上に陽が沈むのと、同じような景色。

*酔っ払って大さわぎ：ホテルの人にリンゴジュースについてきいてみたら、ジュースではあるが、発酵してアルコールになることもあるかもしれないとのことだった。微量であっても彼女はとてもアルコールに敏感だったので酔ったのだと思う。

１１／１１

朝からよい天気。９時朝食。食事の量だけは、モスクワがたっぷり。ソフトサラミに野菜に、卵やき。黒パン、バター、コーヒー。皆、あらそって、白パンを食べる。慣れると酸っぱいのも食べられる。コーヒーは、まずい。希望により、バスが2通りにわかれ、私たちはプーシキン美術館へ。クールベ、ルーベンス、ヴァン・ダイク、コローをみる。ドガ、ロートレック、ユトリロなどもあったそうだけど、時間不足（約1時間）。エジプト古代のいろんな物が興味深かった。昼食後、待望のベリョースカへ。最後のショッピングで、予定通り買物。ロシア人形だけは予算ちがいで、５ドルどころか２５ドル。それでも、よい方がよいので、１つだけ一番好きなのを買う。こけし＊と、ブランデーと、その他、で、ちょうど４０ドル。“琥珀”はよくみると、デザインが余りよくないので、それと、ちょっとがまんして、あきらめる。数少なくても、良いものだけを、を、これからも、モットーで、---？　１８時発バスで、ドモジェドボ空港、最初に着いた所。これから飛行機にのって、時差がどうなるのか楽しみ。国内線は、何も検査なし。いつものように、タラップの下に、大勢の乗客。旅行者優先で、４２名、先にのり、席についたところで、予約してた人々もたくさんいて揉める。結局、前の方に座っていた人々は、移らざるを得なかったけど、私たちの中に割込んで座っている現地の人は、知らん顔。というより、スチュワーデスがかまわないというようなことを言っている。軍人とだったか、世話をして下さってる佐藤さんというおじさんが、結局、席をかわらざるを得なくなった。最初に、スチュワーデスが、ちゃんと、案内すべきことなのに。アエロフロートに関しては、スチュワーデスは、たくましいおばさん＊、ただのウエイトレス、でも、時々、アナウンスする。ちっともスマートじゃないし、JAL の人々＊のように気どって？もない。そのためでもある

＊こけし：マトリョーシカのこと。

＊たくましいおばさん：搭乗時の対応に不満を感じたからか、アエロフロートのスチュワーデスについて、ずい分ひどい書き方をしている。私たちの会ったアエロフロートのスチュワーデスはみんな、中年の、とてもたくましい体格の、既婚と思われる女性であった。スチュワーデスに限らず、当時のソ連ではすでに多くの既婚女性が仕事を続けていたということだろう。

＊ JAL の人々：空港で見た JAL のスチュワーデスは、みんな颯爽としてい

て当時の言い方で言えば、とてもカッコよかった。1966年には東京、モスクワ間に定期航空路が開設されていた。当時は客室乗務員のことをスチュワーデス、スチュワードと呼んでいた。

まいが、少々おくれて２０：４５離陸。夕食は機内のつもりだったのに、ジュースだけ持って来て、そのあと毛布がきたので空腹のまま、諦めて、やすむ。と、突然、ライトがついて、アナウンスで起こされる。２２：３０食事。チキン、グリンピース、ライス、キャビア、パン、バターケーキ、リンゴ、紅茶。

１１／１２
ハバロフスク

ちょっとウトウトしたと思ったら、又、ライトがついて起こされる。2時過ぎ、外は早々と日の出､時差とはこんなもの。食欲なくて､コーヒーだけ。今朝のはおいしかった。今日もよい天気。少しの間に、まっ昼間になってしまったけれど、空は青く、シベリアはまっ白で、飛行機の窓には雪の結晶がはりついて、かなり寒そう。７時間と少し､3時半（モスクワ時間）頃、ハバロフスク着。睡眠不足と食べすぎで、気分不良。外に出るとさすがに寒い。氷点下１８℃とか？　雪は積もってはいないけれど、道の脇には固まってあるし、木々は細い枝ばかり。アムール川の表面は凍ってしまって、途中、下車して写真を１枚。祖父へのおみやげ*。来る時と同じツーリストホテルで、１時すぎ昼食。といっても、モスクワ時間では6時位かしら。と

＊祖父へのおみやげ：母方の祖父はシベリア出兵でシベリアに行っていた。黒竜江（アムール川の中国名）という大きな川があったと懐かしそうに言っていたことを思い出す。

ても食べられたものではない。来るときは、がんばって、いくらでも食べられたのに。同じホテルで、有馬徹とノーチェクバーナ*のメンバーにあう。９月２０日に来て、モスクワ公演をすませ、帰る途中。船が同じだったら演奏がきけるそうで、楽しみ。余り、揺れないことをのぞむ。昼食後、ハバロフスク駅で列車を待つ。少々、疲れ気味だけど、待っていると余計きつい。ソ連では、いつも待つばかり*。時間のロスの最も多い所。本当に日本から、トーマス・マンでも持って来ておけば、よかった。神戸の田中夫妻*とダベリングしていると、老人が話しかけてこられ、革命記念日*(１１月７日)を、知っているかとか、その他いろいろきかれた。革命記念日に招待され、沖縄から来たと言われるので、県知事の屋良さん*では、ということになった。誰もはっきりとはお顔を知らないけれど、物腰から、多分。毛皮の帽子を被っていると、姿だけでは何国人か区別がつかない。ご本人もそう言っておられた。モスクワでは１１月になって、記念日と別に、平和勢力国代表者会議（？）というのが開かれていて、多くの国から３０００人近い代表が集まって来て、そのため、日本人の旅行が数日前まで禁止されていたという。

別に、ノーチェ・クバーナの有馬コンダク

＊有馬徹とノーチェクバーナ：有馬徹（1927～1993）音楽家、指揮者。昭和29年8人編成のラテン・コンボ「ノーチェ・クバーナ」を結成、32年には18人のビッグバンドとなる。ラテン音楽をメインに広くポピュラー音楽で当時わが国屈指の人気のバンドであった。

＊待つばかり：待っている間のツアーの人々とのおしゃべりは、もっぱら石油危機とトイレットペーパー不足のことだった。

＊田中夫妻：神戸から参加していた新婚旅行のカップル。帰りのツアーで再会して親しくしていただいた。

＊革命記念日：ロシア革命記念日（11月7日）。ソ連時代には最も盛大な祝日のひとつで、毎年大規模な軍事パレードが行われた。当時の最高指導者は、レオニード・イリイチ・ブレジネフ（在任1964～1982）

＊屋良さん：間違い。屋良さんではなかった。前年5月に米国から復帰した沖縄の最初の県知事がロシア革命記念日に招待されることなどあり得ないと思うが、沖縄ときいて私たちは屋良さんだと思ってしまった。屋良朝苗（やら ちょうびょう、1902～1997）は、琉球政府および沖縄県の政治家。復帰後は沖縄県知事を2期務めた（在任1972～1976）。

ター、このお顔は、どこにいても、絶対にわかる。無表情で、無愛想。数年前に見た時、と言っても、コンサートの舞台上でだが、比べて、かなりお年を召された様子。同じ列車、ということは、船も同じ、演奏がきけるかも知れないということ。

１１／１３
ナホトカ

昨日は、列車（１８：２０発）に乗ったらすぐ眠ってしまって、夕食を忘れてしまった。もともと、食欲はなかったが、夜中の1時すぎ、四人とも目をさまし、パンやくだものを食べて、少々騒ぎ、朝食も一番にビュッヘへ行くつもりが、又、気持ちよくやすんでしまったために、最後になり、食べ終わったとたん、ナホトカへ着いて、少々、あわてる。外の景色も、全く見なかったが、夜中は、雪に覆われたシベリアが、暗やみの中で、ぼんやりと、美しかった。朝起きてからは、ほとんど雪がなく、白樺の木もいつもと同じ。ただ、たくさんあった沼地が、凍って、窓ガラスを触ると冷たく、外の寒さを思わせる。とてもよい天気。空の青さが美しい。

いよいよ最後の日。出国手続、検疫、税関とすませる。９：２０頃、ナホトカ着。船に乗りこんだのは１１時すぎ。税関検査も申告書を示しただけで、OK（女の子でも所持金を見せた人もいた）。１２時出航。横浜とちがって、テープもなく、人々も見送りの人は少なく、手を振っても向こうの人は、知らん顔（？）。ほたるの光だけは前と同じ。前よりせまいキャビン。四人の女の子。隣に神戸の田中夫妻。食事のテーブルは、福岡と山口と愛知の三人の男の人と一緒。福岡の人には、ベリョースカで、１０セント足りなかった時、お世話になった。

〈メニュー〉

オードブル：スモークドサーモン、キュウリ、トマトのサラダ。

スープ：しいたけ、ヌードル、ジャガイモの入ったスープ。日本的な味。

アントレ：ハンバーグステーキ、目玉焼き、ポテトつけ合せ、紫キャベツ。

デザート：フルーツコンポート

パン：中間色パン

日本海

他の人の旅の話をきくとおもしろい。男の人は一人旅の人が多いが、行く先々でいろんな人とペアを組むことが多く、始めから終わりまでずーっと、ひとりだったと言う人は少ない。女の人の一人旅はずっと少なく、そういう人は、丹念に計画を練っているか、お金を必要以上に、たくさん持っているか、のどちらか。スペインなんか安全だと思っていたけれど、場所によってはそうでもないらしい。でも、皆、スペインで楽しんで来ている。いい所！

午後４時半のお茶（紅茶、パン）のあと、読書室で、田中夫人とおしゃべり。あっという間に夕食時間（７時)。オードブル、ローストポーク、グリンピース、チキン、ヌードル、普通のミカン、紅茶。ヨーロッパではオレンジばかり。日本にあるようなペタンコのミカンは久しぶり。夕食後、キャビンの廊下で、船員さんが､ギターとバラライカの演奏*。入墨をした、いかにも海の男というような人と、もう一人は老人。この人が、すごく、バラライカが上手、２５００円するかしないかくらいの一番安いのを、すごく、弾き込んでいる。ベリョースカで６０００円以上もするのを買った男の子は、とてもうらやましがる。どうしようかと思って、結局、買わずに来た。(ナホトカで見たのは、免税でなくて、２５００円くらい。余りやすいので、本当に良いかどうか、迷ったけれど）ほしくなって、さっきの男の子が２本買って、１本、いらなかった、と言ったそうで、さっそく交渉にいったけど、彼も、音が良いのを見て、手ばなす気がなくなったらしい。売店にもあるけれど ----、日本にもあるけれど。シャワーをあびて、サロンへ。ノーチェ・クバーナのメン

＊ギターとバラライカの演奏：「トロイカ」や「黒い瞳」などのロシア民謡を何曲も弾いてくれた。私たちの世代はロシア民謡に親しんで育ったので、旅の終わりにベテランの船員さんが廊下に座り込んで弾くバラライカの音は心にしみた。

バー数人が、演奏していた。しばらく聴いていたけど、男の子が踊りを誘いに来て、日本の女の子は、誰も断って、最後、私と田中夫人の二人になってしまった。フロアでは男の子がひとり、かっこよく踊っていた。そんな所では誰も踊れない。二人、皆が席を立ったのを機会に、バーへ。田中夫妻と３人、３３４mLを２本半。少々いい気持になって１２時前、部屋へ帰る。サッポロビールも懐かしい。

１１／１４

昨夜のビールはおいしかった。ごちそうになったから？　すぐ、気持ちよく眠りに入ったのに、多分、２～３時頃目がさめて、それからずーっと、７時すぎにシャワーを浴びるまで、眠れなかった。同室の２人の女の子も、昨夜は、飲んで、彼女たちが最初、目をさまして、水を飲んだり、トイレに行ったり、それで眠れなかったわけ。船酔いする前に、お酒で酔う方が楽しい。朝は少々、食欲あるも、ゆで卵は１個だけ。パン（ミドルパン）、サラミ（とっても硬い）、トマトとアズキあんをミックスしたようなジュース、紅茶。とてものどが渇く。津軽海峡をこえて、もう太平洋側。北海道の人の悔しがること。甲板は意外に暖かくて、日本の気候を思わせる。何となく、ほっとする。スイスでもモスクワでも、余り寒い目にあわず、助かった。ビリヤードをまねたゲームをする。余りに出来が悪いので、皆にひやかされる。船旅*を、さすがに2度目は、皆、上手に楽しんでいる感じ。

昼は、昨日ティータイムに選んだメニュー。トマト、キュウリ、サラダ、コンソメ、ビーフポテト付、アイス、コーヒー、パン。

隣の男の子、自分の選んだメニューを忘れて、“まちがってない？”なんて、不愉快。やきそばなんて食べようと思わないけれど、味噌のスープに、おにぎりと、白菜のおつけもの、それも、おいしいのがついていたときいて、食べてみたかったな…と。でも、明日になれば、日本。ロシア料理なんて、今度は、簡単に食べられなくなるから、いかにもロシアっぽいものを選ぶ方がいい。売店にはバラライカがなくて残念。夜。ポテトサラダ、ハム、ロシア風水ギョウザ(ギョウザの皮の厚ーいもの)、リンゴ、コーヒー。夜、今日はビールを1本だけ。そのあとサロンへ。12時半まで、演奏をきく。でも、何だか、満足出来ない気持。日本人と外国人のちがい、言われるまでもなくわかって来た。でも、日本人以外には、なりえないし、野蛮人にも、悲しいことになり得ない。皆、おかげで、船酔いせずにすんだ。

*船旅：それまで客船をただの移動手段としてしか思っていなかった。特に往路では毎日規則正しく三度の食事をしたことと、船が揺れてベッドに横になっていたことくらいしか覚えていない。

11／15

8時前起床。睡眠不足、ねむたい。朝食後、デッキで昨日の玉突きをする。最初はとても見られたものではなかったが、今日は、よい調子。もう一日あれば、もっと上手になれるかも、なんて、田中夫妻とふざけあう。天気は、本当によいし、来る時は、風があって、寒かったけど、ポカポカと暖かい。皆、ほっとしている感じ。帰りの船は波もおだやかで、本当に、気持ちのよいものだった。昼食。エビサラダ、野菜スープ、バーベキュー、アイスクリーム。最後のディナー*。今までで一番おいしかったけど、アイスクリームだけは、今までで、一番いただけなかった。パスポートを受取って、税関申告書を記入。日本の方が、きびしそうな予感、でも、何も持っていない。航海が順調に行って予定より一時間早く着くといい、実際、湾内には、午後2時頃（日本時間）ついて喜んでいたのに、船内で行われる、検疫、入国管理、税関申告の手続きを、誰か1人の人が遅れたために、予定通り4時になってしまった。税関では、はじめて包みを開けられた。といっても、あれで調べになっているのか、ちゃんと見られたのは、時計だけ。でも、気はゆるせない。検査が終わって、待合室で、出迎えの人々と会ったり、友だちを待ったりしている人々の間にも、私服の役

＊最後のディナー：旅の終わり。ヨーロッパへ安く行くためにナホトカコースを選んだわけであるが、終わってみれば、10日間もの間、ソ連に滞在したことになる。当時はヨーロッパのことしか頭になく、往復のツアーはトラブルもなく順調に過ぎたので、もともと日記をつけることなど思ってもいなかったこともあり、往路のことは記録にも記憶にもほとんどない。それでも、ヨーロッパに行ったことで、後に崩壊してしまうことになるソ連という国を少し知ることが出来た。

人がいて、神戸の“だんな”はあとをつけて来られた。オーバーした分のタバコを２箱、同じ船の人に預けてあったのを、税関の建物の中で、受取ったのを見つけられたのだけど、後ろから呼びとめられた時にはびっくりした。他の物と思ったらしいけど、別に取りあげることもしなかった。

それと、トレドで買った剣に、又、クレームがついて、彼女たちは近くの警察署へ。面倒だったらいらないと言うと、そうにしても、放棄するための書類が必要ということで、行く。そこで、調書をとられ、大阪の公安委員会へかけ、許可が出れば、横浜まで取りに行く、ということで、大変な手続きがいる。横浜の駅前の中華料理店で、皆で最後の晩さん。私は、又、やきそば。３００円でやっと日本に帰りついたな、と思う。大阪の二人は大丈夫。神戸の田中夫妻も大丈夫。“だんな”夫妻と、私たち二人は？＊

＊私たち二人は？：日記で一番驚いた文章。ペンフレンドを訪問して、「同棲」に対する考えが変わっていた。また、一緒に旅をすればお互いのことがよくわかるということに気がついた。旅行の終わり頃には、同棲はともかく、結婚前には少し長い「婚前旅行」をしてみるべきだと思うようになっていた。

おわり。

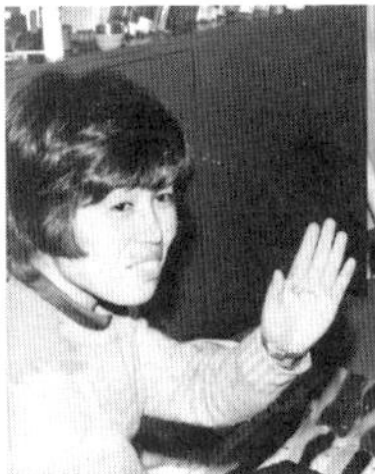

◉両替メモ

両替日	国	両替（手数料を含む）	受取通貨および金額
9月16日	ソ連	1000円	2ルーブル　67コペイカ
9月16日	ソ連	10ドル	38ルーブル　10コペイカ
9月17日	スウェーデン	10ドル	41スウェーデンクローナ
9月18日	ノルウェイ	21.30スウェーデンクローナ+10ドル	約52.7ノルウェイクローネ
9月19日	デンマーク	10ドル	55.30デンマーククローネ
9月19日	デンマーク	15ノルウェイクローネ	15.125デンマーククローネ
9月21日	デンマーク	5ドル	27.28デンマーククローネ
9月21日	西ドイツ	TC50マルク	50マルク
9月25日	西ドイツ	TC50マルク	50マルク
9月27日	西ドイツ	1ドル	2.35マルク
9月27日	ルクセンブルク	TC50マルク	742ルクセンブルクフラン
9月28日	ベルギー	20ルクセンブルクフラン	20ベルギーフラン
9月29日	オランダ	TC50マルク	50フローリン
9月29日	オランダ	328ベルギーフラン	21.10フローリン
10月1日	フランス	TC50マルク	85フラン
10月1日	フランス	40ギルダー	62.20フラン
10月3日	フランス	TC50マルク	85フラン
10月5日	英国	TC100マルク	16.55ポンド
10月11日	英国	TC50マルク	8.32ポンド
10月12日	フランス	5ドル	20.05フラン
10月13日	スペイン	TC100マルク	2322.5ペセタ
10月16日	スペイン	TC100マルク	2316.500ペセタ
10月18日	スペイン	TC100マルク	2334.50ペセタ
10月21日	スペイン	TC50マルク	1159.00ペセタ
10月22日	スペイン	TC100マルク	2345.50ペセタ
10月24日	スイス	1000ペセタ	51.0スイスフラン
10月25日	イタリア	TC100マルク	22200リラ
10月27日	イタリア	20スイスフラン	3780リラ
10月28日	イタリア	10/2ドル	5700/2リラ
10月29日	スイス	TC100マルク	約112スイスフラン
10月29日	スイス	5500/2リラ	25.85/2スイスフラン
10月31日	スイス	TC100マルク	124.75スイスフラン
11月3日	リヒテンシュタイン	TC50マルク	62.5スイスフラン
11月4日	ドイツ	5/2ドル	11.1/2マルク
11月6日	オーストリア	TC100マルク	730シリング
11月6日	オーストリア	50スイスフラン	287シリング
11月9日	オーストリア	TC50マルク	360シリング

準備／持参金額	日本円換算（円）
TC2000マルク	217,080
111　ドル	29,895
50,000　円	50,000
計	296,975

注）
ＴＣ：トラベラーズチェック
ドル：米ドル

二度目の旅を終わって

新型コロナウイルスによる自粛生活のなかで書棚の整理をし始めたら、赤い表紙の古びたノートが出てきた。旅行の記録であった。開いてみると、何と毎日記録している。中表紙には「Travels in Europe」とタイトルのように大きく書かれているが、日記をつけたという記憶はない。50年近くも経ったノートは読んでいくうちにページがはずれてきて、壊れてしまいそう。ボールペンの文字が薄れてきているページもある。失くしてしまうのは惜しいと、とりあえずワープロで書き写した。そうすることで初めてこれを全て読み返した。

読み終わってまず思ったことは、こういう旅になっていたのだ、ということ。そして、こんな私と一緒に旅行して下さったすみえさんは、大変だっただろうなということ。本当にありがとうと言うしかない。ナホトカコースをおしえてくれたしっかり者の妹、ちはるさんにも感謝！

それから、一番おかしい（恥ずかしい？）のは、あれだけ英語を勉強しなくてはと書きながら、結局、この歳になっても英語はものになっていないこと。そして、何と能天気な日々を過ごしていることか。言葉がわからないことをいいことに、食費と宿泊費をいかに安くすませるか、それだけを毎日毎日考えて旅をしている。その時の二人は無職、その頃の常識でいえば結婚適齢期も末期。なのに、これからどうするかなんて気にしている様子が全くない。

この時の旅は二ヵ月、ゆっくり楽しむ暇はなくずっと移動の列車の中。だから毎日記録がつけられたのだろう。今からみれば無知で世間知らずの、偏見に満ちた未熟な考えを、今では許されない言葉、文章で、全く無造作に記している（そのまま公開することを許してほしい）。それにしても、この時のものも含めて若い時の写真は山ほどある。だけど写真とは違う自分が日記の中にいる。無防備に心の中を曝した26歳の私。それを3倍に近い年齢を重ねた私が見ている。

この日記をどうするかと考えた時、本にしたいという気持ちがわいてきた。

こんな個人的なものを公開するのは恥ずかしい、そんなつもりで書いたのではない、やめてほしいと26歳の私。しかし、今の私は思いがけなく出てきた若い日の旅の記録を何とかしたい。それで、どういう旅であったのかがわかるように、追記しようと考えた。当時のことを思い出しながら資料を探して調べていくと、いろいろなことが、中には予想もしなかったことも出てきて、相変わらず無知な自分にあきれながらも、本当に面白くて旅行をやり直しているような気持ちになることさえあった。そして、私たちの旅が、直接、間接に、当時自分たちが思っていた以上に、多くの方のお世話になっていたことを改めて思った。

この旅日記出版のきっかけになった自粛生活はまだ続いている。出版を思い立ったのは2020年の秋ごろである。わが国の新型コロナ感染者の発生は2020年初めで、それから1年半以上が経過した現在、「危機的」と言われる状況にある。これ以上ひどい状況にならないことを祈るばかりである。

旅日記を本にするにあたっても多くの方のお世話になった。

本にすることを思いついたのは、前の年に大学同窓の友人が小説を出版していたから。私には小説なんてとても書けないけれど、出版について彼女に相談してアドバイスを頂いた。

すみえさんにはラインと電話で私の記憶の曖昧なところを確認した。阿蘇の麓に住む彼女に早く届けたい。私の日記を読んで、彼女がどう思うか、本当は心配だけど。

スペインのことについてはギター教室以来の友人である、とし子さんと、ご夫君の高橋先生にいろいろ教えていただいた。旅行中ただ一度、ホームシックみたいな感情を覚えたのは、アルハンブラで赤く熟れた柿がなっているのを見た時。時間が経つにつれて、あれは本当に柿だったのだろうか、そもそもスペインに柿の木があるのだろうかと思っているうちに夢のような記憶になっていた。今回、とし子さんにスペインには柿があり「カキ」と呼ばれているということを教えてもらって、「柿」と「カキ」？　不思議だけれど、とても嬉しく懐かしく思った。

あとがきが長くなってしまった。九十九歳の母に「私はもう何も書くことが出来なくなった。あなたは若いのだからいっぱい書きなさい」と励まされ、日記に加筆というわけにはいかないので、ここに余計なことと思われることも記した。

梓書院の、26歳の私よりもっとお若い、井上恵さんのおかげで本になりました。

皆さまに心よりお礼を申し上げます。

2021年8月　　上村 和子

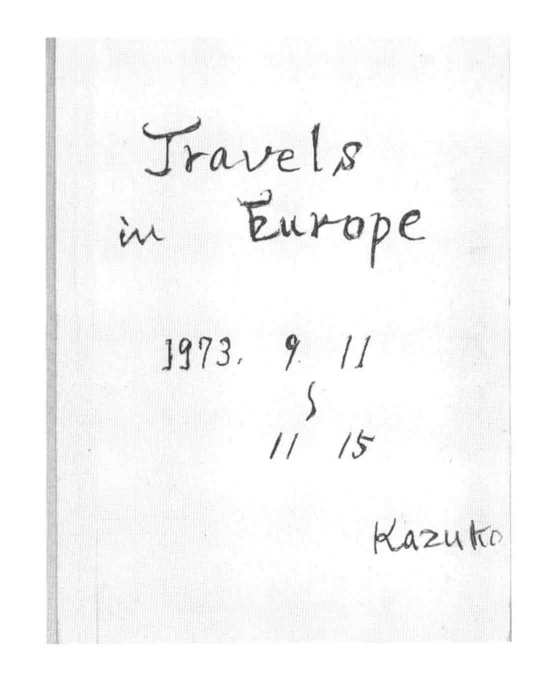

【著　者】
上村　和子（ウエムラ　カズコ）
1947年福岡県生まれ。この旅の後、慶応義塾大学卒業。福岡市にあった赤十字の血液センターに就職し、定年まで勤務。

ヨーロッパの旅（たび）　1973年（ねん）

令和3年12月1日　初版第1刷発行

著　者　上村 和子
発行者　田村 志朗
発行所　㈱梓書院
〒812-0044 福岡市博多区千代3-2-1
tel 092-643-7075　fax 092-643-7095
印刷／青雲印刷
製本／日宝綜合製本
装丁／design POOL
ISBN978-4-87035-733-4